Obra Completa de C.G. Jung
Volume 7/1

Psicologia do inconsciente

Comissão responsável pela organização do lançamento da
Obra Completa de C.G. Jung em português:
Dr. Léon Bonaventure
Dr. Leonardo Boff
Dora Mariana Ribeiro Ferreira da Silva
Dra. Jette Bonaventure

*A comissão responsável pela tradução da Obra Completa de
C.G. Jung sente-se honrada em expressar seu agradecimento à
Fundação Pro Helvetia, de Zurique,
pelo apoio recebido.*

FICHA CATALOGRÁFICA
CIP-Brasil. Catalogação na fonte
Sindicato Nacional dos Editores de Livros, RJ

J92p

Jung, Carl Gustav, 1875-1961.

Psicologia do inconsciente / C.G. Jung; tradução de Maria Luiza Appy. – 24. ed. – Petrópolis, Vozes, 2014.

Título original: Zwei Schriften über Analytische Psychologie
Bibliografia.

17ª reimpressão, 2025.

ISBN 978-85-326-0470-5

1. Psicanálise – Estudo de casos. 2. Subconsciente. I. Título. II. Série.

78-0241

CDD – 154.2
616.8917
CDU – 159.964.2

C.G. Jung

Psicologia do inconsciente
7/1

Tradução de Maria Luiza Appy

Petrópolis

© 1971, Walter Verlag, AG, Olten
Título do original em alemão intitulado *Zwei Schriften über Analytische Psychologie* (Band 7)
Über die Psychologie des Unbewussten (1. Schrift)

Editores da edição suíça:
Marianne Niehus-Jung
Dra. Lena Hurwitz-Eisner
Dr. Med. Franz Riklin
Lilly Jung-Merker
Dra. Fil. Elisabeth Rüf

Direitos exclusivos de publicação em língua portuguesa:
1978, Editora Vozes Ltda.
Rua Frei Luís, 100
25689-900 Petrópolis, RJ
www.vozes.com.br
Brasil

Todos os direitos reservados. Nenhuma parte desta obra poderá ser reproduzida ou transmitida por qualquer forma e/ou quaisquer meios (eletrônico ou mecânico, incluindo fotocópia e gravação) ou arquivada em qualquer sistema ou banco de dados sem permissão escrita da editora.

CONSELHO EDITORIAL

Diretor
Volney J. Berkenbrock

Editores
Aline dos Santos Carneiro
Edrian Josué Pasini
Marilac LoraineOleniki
Welder Lancieri Marchini

Conselheiros
Elói Dionísio Piva
Francisco Morás
Gilberto Gonçalves Garcia
Ludovico Garmus
Teobaldo Heidemann

Secretário executivo
Leonardo A.R.T. dos Santos

PRODUÇÃO EDITORIAL
Anna Catharina Miranda
Eric Parrot
Jailson Scota
Marcelo Telles
Mirela de Oliveira
Natália França
Priscilla A.F. Alves
Rafael de Oliveira
Samuel Rezende
Verônica M. Guedes

Tradução: Maria Luíza Appy
Editoração: Lorena Delduca Herédias
Padronização das referências: Mariana Perlati
Diagramação: Editora Vozes
Revisão gráfica: Alessandra Karl
Capa: Anna Ferreira

ISBN 978-326-2424-6 (Obra Completa de C.G. Jung)
ISBN 978-85-326-0470-5 (Brasil)
ISBN 3-530-40082-3 (Suíça)

A tradutora agradece efusivamente a João Carlos Paretti pela preciosa ajuda durante a tradução.

Este livro foi composto e impresso pela Editora Vozes Ltda.

Sumário

Prefácio dos editores, 7

Prefácio à 1ª edição, 9

Prefácio à 2ª edição, 11

Prefácio à 3ª edição, 13

Prefácio à 4ª edição, 15

Prefácio à 5ª edição, 17

I. A psicanálise, 19

II. A teoria do eros, 30

III. Outro ponto de vista: a vontade de poder, 41

IV. O problema dos tipos de atitude, 52

V. O inconsciente pessoal e o inconsciente suprapessoal ou coletivo, 74

VI. O método sintético ou construtivo, 92

VII. Os arquétipos do inconsciente coletivo, 102

VIII. A interpretação do inconsciente: noções gerais da terapia, 126

Palavras finais, 132

Apêndice: Novos caminhos da psicologia, 133
1. Os primórdios da psicanálise, 133
2. A teoria sexual, 145

Índice onomástico, 157

Índice analítico, 159

Prefácio dos editores

Este volume VII da Obra Completa de C.G. Jung – que se apoia no volume correspondente de *Collected works*, Bollingen Séries XX, Pantheon, Nova York, e Routledge & Kegan Paul, Londres – contém os dois estudos: *Psicologia do inconsciente* e *O eu e o inconsciente*. Nasceram de ensaios anteriores em que se destacam aquelas reflexões fundamentais e de grande importância para a organização das obras de Jung. A matéria tratada, difícil por natureza, é apresentada do modo mais simples possível, visando torná-la acessível a um público maior.

O primeiro estudo foi publicado a primeira vez sob o título *Neue Bahnen der Psychologie* (*Novos caminhos da psicologia*), em 1912, no *Jahrbuch des Rascher-Verlages*, volume III, organizado por Konrad Falke. Jung discute aí as diversas concepções de Freud e de Adler a respeito do inconsciente, elaborando uma introdução à psicologia do inconsciente, fundamentada nos arquétipos do sonho. O vivo interesse que esse estudo despertou fez com que Jung o reelaborasse continuamente ao longo dos anos, modificando-lhe sucessivamente o título primitivo para *Psicologia dos processos inconscientes*, *O inconsciente na vida psíquica normal e patológica* e, finalmente, para o título definitivo: *Psicologia do inconsciente*. O capítulo sobre os tipos foi eliminado, pois em 1920 apareceu o livro de sua autoria intitulado *Tipos psicológicos*, que trata *ex professo* do assunto. Jung fala das ampliações e modificações do texto nos prefácios das diversas edições que aqui incluímos.

O segundo estudo, *Die Beziehungen zwischen dem Ich und dem Unbewussten* (*O eu e o inconsciente*), publicado a primeira vez sob essa forma em 1928, surgiu de um ensaio, escrito em alemão; mas apareceu apenas em sua edição francesa sob o título *La structure de l'inconscient*, e em inglês, em *Collected papers on analytical psychology*, intitulado *The concept of the unconscious*. A versão alemã, que supunha-se perdida, foi encontrada juntamente com um texto refundido e ampliado, sem data, e inédito da primeira redação. Esse texto tem uma importância particular dentro das obras de Jung, não tanto como introdução aos conceitos fundamentais, porém como uma exposição sumária e concisa das posições mais destacadas do autor. Por essa razão, os editores julgaram-se autorizados a colocar em apêndice as duas primeiras redações – como também o ensaio acima mencionado extraído do *Jahrbuch des Rascher-Verlages* – embora, aqui e ali, não se possam evitar certas repetições ocasionais.

As primeiras versões dos dois estudos têm seu valor do ponto de vista histórico, pois nelas encontramos as primeiras formulações dos conceitos da psicologia analítica, como são, por exemplo, o inconsciente pessoal e coletivo, o arquétipo, a *persona*, o *animus* e a *anima*, bem como as primeiras colocações sobre tipologia. Ao reeditarmos também esses textos primitivos, que representam os primeiros passos de um processo de elaboração através de várias décadas, oferecemos ao leitor a possibilidade de acompanhar a evolução das ideias de Jung.

Agradecemos à Sra. A. Jaffré e à Srta. Dra. M.-L. v. Franz a valiosa colaboração no preparo dos textos, e à Sra. E. Riklin, a organização dos índices.

Prefácio à 1ª edição

Este pequeno trabalho[1] surgiu no momento em que, a pedido do editor, comecei a rever, para ser reeditado, o artigo *Neue Bahnen der Psychologie* (Novos rumos da psicologia), publicado em 1912 no Raschersches Jahrbuch (Anuário de Rascher). O trabalho apresentado aqui é, portanto, aquele mesmo, modificado na sua forma e ampliado. No artigo em questão, limitava-se a mostrar um aspecto essencial da interpretação psicológica introduzida por Freud. Com as numerosas e importantes modificações sofridas nos últimos anos pela psicologia do inconsciente, fui obrigado a alargar consideravelmente o âmbito daquele primeiro artigo. Vários trechos sobre Freud foram reduzidos e substituídos por considerações tiradas da psicologia de Adler. Além disso, dentro da orientação geral e na medida em que coubesse nos limites deste trabalho, introduzi os meus próprios pontos de vista. Devo prevenir o leitor de que a complexidade da matéria vai exigir um grande esforço de paciência e atenção. Também quero deixar bem claro que este trabalho não pretende encerrar o assunto nem esgotar os argumentos. Isso demandaria exaustivas teses científicas sobre cada um dos problemas específicos aqui abordados. Quem quiser aprofundar-se nas questões levantadas deverá recorrer à literatura especializada. Minha intenção é simplesmente dar alguma orientação sobre as mais recentes interpretações da essência da psicologia do inconsciente. Por considerar o problema do inconsciente de extrema importância e atualidade e por saber que diz respeito intimamente a todos e a cada um de nós, julguei oportuno colocá-lo ao alcance do público leigo e culto, impedindo que fosse condenado

---

1. *Die Psychologie der unbewussten Prozesse*. Schriften zur angewandten Seelenkunde. Zurique: Rascher, 1917.

a desaparecer na inacessibilidade de uma revista científica especializada, levando uma existência formal numa obscura estante de biblioteca. Nada mais apropriado do que os processos psicológicos que acompanham a guerra atual – notadamente a anarquização inacreditável dos critérios em geral, as difamações recíprocas, os surtos imprevisíveis de vandalismo e destruição, a maré indizível de mentiras e a incapacidade do homem de deter o demônio sanguinário para obrigar o homem que pensa a encarar o problema do inconsciente caótico e agitado, debaixo do mundo ordenado da consciência. Esta guerra mundial mostra implacavelmente que o homem civilizado ainda é um bárbaro. Ao mesmo tempo, prova que um açoite de ferro está à espera, caso ainda se tenha a veleidade de responsabilizar o vizinho pelos seus próprios defeitos. *A psicologia do indivíduo corresponde à psicologia das nações.* As nações fazem exatamente o que cada um faz individualmente; *e do modo como o indivíduo age, a nação também agirá.* Somente com a transformação da atitude do indivíduo é que começará a transformar-se a psicologia da nação. Até hoje, os grandes problemas da humanidade nunca foram *resolvidos* por decretos coletivos, mas *somente pela renovação da atitude do indivíduo.* Em tempo algum, meditar sobre si mesmo foi uma necessidade tão imperiosa e a única coisa certa, como nesta catastrófica época contemporânea. Mas quem se questiona a si mesmo depara invariavelmente com as barreiras do inconsciente, que contém justamente aquilo que mais importa conhecer.

Küsnacht-Zurique, dezembro de 1916.

O autor

Prefácio à 2ª edição

Muito me alegra que este pequeno estudo apareça numa segunda edição em tão curto espaço de tempo – e isso apesar do seu conteúdo, que deve ser de difícil compreensão para muitos. Reedito-o inalterado em sua essência, salvo modificações e aperfeiçoamentos insignificantes. Tenho consciência, porém, de que, para colocá-lo mais facilmente ao alcance de todos, será preciso ampliar o debate, devido à dificuldade e à novidade excepcionais do assunto, principalmente no que se refere aos últimos capítulos. Um maior aprofundamento das linhas básicas neles contidas ultrapassaria os limites de uma divulgação mais ou menos popular, de forma que prefiro discutir essas questões com a devida minúcia em outro livro, que se encontra em fase preparatória[2].

O número de cartas que recebi após a publicação da primeira edição prova que o interesse do grande público pelos problemas da alma humana é muito maior do que eu esperava. O despertar desse interesse deve provir, em grande parte, do abalo em nossa consciência provocado pela Guerra Mundial. O espetáculo dessa catástrofe faz com que o homem, sentindo-se totalmente impotente, se volte para si mesmo, olhe para dentro e, como tudo vacila, busque algo que lhe dê segurança. Muitos ainda procuram fora de si mesmos; uns acreditam na ilusão da vitória e do poder; outros, em tratados e decretos; outros, ainda, na destruição da ordem vigente. Mas são poucos os que buscam dentro de si, poucos os que se perguntam se não seriam mais úteis à sociedade humana se cada qual começasse por si, se não seria melhor, em vez de exigir dos outros, pôr à prova primeiro em sua própria pessoa, em seu foro interior, a suspensão da ordem vigente, as leis e vitórias que apregoam em praça pública. É indispensável que

---

2. *Psychologische Typen*. Zurique: Rascher, 1921 [OC 6].

em cada indivíduo se produza um desmoronamento, uma divisão interior, que se dissolva o que existe e se faça uma renovação, mas sem impô-la ao próximo sob o manto farisaico do amor cristão ou do senso da responsabilidade social – ou o que quer que seja usado para disfarçar as necessidades pessoais e inconscientes de poder. O autoconhecimento de cada indivíduo, a volta do ser humano às suas origens, ao seu próprio ser e à sua verdade individual e social, eis o começo da cura da cegueira que domina o mundo de hoje.

O interesse pelo problema da alma humana é um sintoma dessa volta instintiva a si mesmo. Que este meu trabalho esteja a serviço desse interesse.

Küsnacht-Zurique, outubro de 1918.

O autor

Prefácio à 3ª edição[3]

Este estudo surgiu durante a Primeira Guerra Mundial e deve sua existência principalmente à repercussão psicológica dessa grande conflagração. A guerra terminou e, pouco a pouco, as coisas se acalmam. Mas os grandes problemas psíquicos levantados pela guerra continuam preocupando a sensibilidade e o espírito dos que pensam e pesquisam. É provável que isso tenha influído na sobrevivência deste pequeno estudo no pós-guerra, permitindo que agora apareça em sua terceira edição. Considerando que se passaram sete anos desde o lançamento da segunda edição, julguei necessário aperfeiçoar o texto e introduzir uma série de modificações, sobretudo nos capítulos referentes aos tipos e ao inconsciente. O capítulo sobre "desenvolvimento dos tipos no processo analítico" foi inteiramente suprimido, já que a questão foi amplamente desenvolvida em meu livro *Tipos psicológicos*, que pode servir de referência aos interessados.

Quem já tentou dar forma popular a uma matéria altamente complexa e que ainda se encontra em estado de elaboração no plano científico, há de concordar comigo que a tarefa não é fácil. A dificuldade aumenta pelo fato de muitos dos processos e problemas da alma aqui descritos ainda serem totalmente desconhecidos por muitos. Algumas coisas também se chocam com preconceitos ou podem parecer arbitrárias. Peço, porém, que se considere o objetivo de um estudo como este: o máximo que se pode pretender é dar uma ideia aproximada da matéria e servir de estímulo; nunca, porém, penetrar nos pormenores da reflexão e do fornecimento de provas. Fico satisfeito, se o livrinho satisfizer tal finalidade.

Küsnacht-Zurique, abril de 1926.
O autor

---

3. Na terceira edição o título foi modificado para *Das Unbewusste im normalen und kranken Seelenleben*.

Prefácio à 4ª edição

Afora algumas emendas, esta quarta edição é lançada sem alterações. Das múltiplas reações do meu público, deduzi que a ideia do inconsciente coletivo, a que consagrei um capítulo neste estudo, suscitou um interesse todo especial. Por isso, não quero deixar de pedir a atenção dos leitores para os trabalhos importantes feitos por diversos autores nessa área, publicados nos últimos anos no Eranos-Jahrbuch (Rhein-Verlag). As informações contidas neste livro não pretendem abranger a totalidade da psicologia analítica. Portanto, muitos pontos são apenas esboçados e outros nem são mencionados. Espero, porém, que continue atendendo aos seus modestos objetivos.

Küsnacht-Zurique, abril de 1936.
O autor

Prefácio à 5ª edição[4]

Decorreram seis anos desde a última edição inalterada. Por este motivo, pareceu-me oportuno submeter este pequeno estudo a uma profunda revisão, antes desta nova edição. Assim, muitas deficiências puderam ser eliminadas ou melhoradas e o supérfluo foi suprimido. Matérias difíceis e complexas como a psicologia do inconsciente não se prestam apenas a novas descobertas, mas também a equívocos. Trata-se de uma vasta área virgem, em que penetramos a título experimental, onde só é possível atinar com o caminho certo depois de errar por muitos desvios. Apesar do meu esforço de introduzir no texto o maior número possível de novos pontos de vista, não se deve esperar que esgotem todos os principais aspectos do atual conhecimento nessa esfera da psicologia. Nesta obra de divulgação popular reproduzo apenas alguns dos pontos essenciais, tanto da psicologia médica quanto do rumo da minha própria pesquisa, isso sem ultrapassar o âmbito de uma introdução. O conhecimento profundo só é adquirido mediante leituras especializadas, de um lado, e experiências práticas, de outro. Recomendo aos leitores desejosos de adquirir conhecimentos mais pormenorizados nesse campo, de modo todo especial, o estudo das principais obras sobre psicologia médica e psicopatologia, além de uma revisão cuidadosa dos compêndios de psicologia. Este será o caminho mais seguro para o necessário conhecimento da psicologia médica, sua posição e seu significado.

Tal estudo comparativo vai ajudar a compreender a atitude de Freud, que se queixa da "impopularidade" da sua psicanálise, bem como a sensação que tenho de encontrar-me à margem, isolado, num posto solitário. Acho que não exagero quando digo que as noções

---

4. Modificou-se o título para *Über die Psychologie des Unbewussten*.

da psicologia médica moderna ainda não tiveram a devida acolhida na ciência universitária, embora já se note algumas exceções dignas de registro, o que não ocorria antigamente. Em geral, as ideias novas – exceto as que provocam ondas de excitação geral – requerem pelo menos uma geração para se firmarem. As inovações em psicologia demandam, sem dúvida, mais tempo ainda, já que, sobretudo nessa área, cada um se considera, por assim dizer, autoridade no assunto.

Küsnacht-Zurique, abril de 1942.

O autor

I

A psicanálise

É indispensável que o médico, o "especialista em doenças [1] nervosas", aprofunde seus conhecimentos psicológicos, se quiser ajudar seus clientes, porque as perturbações nervosas (ou tudo que se designa por "nervosismo", histeria etc.) são de origem psíquica e exigem, obviamente, um tratamento da alma. Água fria, luz, ar, eletricidade etc., são de efeito passageiro e muitas vezes não produzem nenhum efeito. O padecimento do doente vem da alma, de suas funções mais complexas e profundas, que mal ousamos incluir no campo da medicina. Nesses casos, o médico precisa ser psicólogo, isto é, um conhecedor da alma humana.

Antigamente, ou seja, quase 50 anos atrás, a formação psi- [2] cológica do médico ainda era das mais deficientes. Seu manual de psicologia limitava-se exclusivamente à descrição e à sistematização clínica das doenças psíquicas, e a psicologia ensinada nas faculdades era ou filosofia ou a chamada psicologia experimental, introduzida por Wilhelm Wundt[1]. Da escola de Charcot, na Salpêtrière de Paris, vieram os primeiros estímulos para uma psicoterapia das neuroses: Pierre Janet[2] iniciou suas pesquisas sobre a psicologia dos estados neuróticos, que fizeram época; Bernheim[3] retomou com sucesso, em Nancy, a

---

1. WUNDT, W. *Grundzüge der physiologischen Psychologie*. 5. ed. Leipzig: [s.e.], 1902/1903.

2. *L'automatisme psychologique*. Essai de psychologie expérimentale sur les formes inférieures de l'activité humaine. Paris: [s.e.], 1889; *Névroses et idées fixes*. Paris: [s.e.], 1898.

3. BERNHEIM, H. *De la suggestion et de ses applications à la thérapeutique*, 1886 [*Die Suggestion und ihre Heilwirkung*. Leipzig: F. Deuticke, 1888 – Edição alemã organizada por Sigmund Freud].

proposta de Liébault[4] de tratar as neuroses pela sugestão, proposta esta que já tinha caído no esquecimento. Sigmund Freud traduziu o livro de Bernheim, e isto foi para ele um estímulo decisivo. Naquela época, ainda não existia nenhuma psicologia das neuroses e psicoses. Cabe a Freud o mérito imorredouro de ter lançado as bases para uma psicologia das neuroses. Seu ensinamento resultou da experiência adquirida no tratamento prático das neuroses, isto é, da aplicação de um método, que ele chamou de *psicanálise*.

3   Antes de entrar numa exposição mais detalhada da matéria propriamente dita, é preciso dizer algo sobre a sua posição em relação à ciência da época. Presenciamos um espetáculo que confirma mais uma vez a observação de Anatole France: *"Les savants ne sont pas curieux"*, os cientistas não são curiosos. O primeiro trabalho[5] de maior envergadura realizado nesse campo mal chegou a provocar um eco distante, apesar de ter introduzido uma interpretação totalmente nova das neuroses. Alguns autores faziam pronunciamentos elogiosos a respeito, mas, ao virar a página, prosseguiam em suas descrições de casos de histeria, à maneira habitual. Agiam, portanto, mais ou menos como alguém que reconhecesse e aprovasse a ideia ou o fato de que a terra é redonda, e mesmo assim continuasse a representá-la tranquilamente com a forma de um disco. As publicações seguintes de Freud passaram inteiramente despercebidas, apesar de conterem observações de suma importância para a área específica da psiquiatria. Quando Freud escreveu a primeira verdadeira psicologia dos sonhos[6], em 1900 (anteriormente, trevas absolutas imperavam nesse campo), ridicularizaram-no. E quando, por volta de 1905, começou a lançar as primeiras luzes sobre a psicologia da sexualidade[7], puseram-se a vituperar. Essa tempestade de protestos eruditos pode ter sido a principal responsável pela publicidade sem precedentes alcançada pela psicologia de Freud, notoriedade esta que superou de longe os limites do interesse científico.

---

4. LIÉBAULT, A.A. *Du Sommeil et des états analogues considérés au point de vue de l'action du moral sur le physique*, 1866.

5. BREUER, J.; FREUD, S. *Studien über Hysterie*. Leipzig/Viena: F. Deuticke, 1895.

6. *Die Traumdeutung*. Leipzig/Viena: [s.e.], 1900.

7. *Drei Abhandlungen zur Sexualtheorie*. Leipzig/Viena: [s.e.], 1905.

Por isso, temos que apreciar mais de perto essa nova psicologia. 4
Já no tempo de Charcot, sabia-se que o sintoma neurótico é "psicógeno", isto é, proveniente da alma. Sabia-se, também, graças principalmente aos trabalhos da Escola de Nancy, que qualquer sintoma
histérico pode ser provocado pela sugestão. Conheciam-se, igualmente, através das pesquisas de Janet, as condições psicomecânicas
dos surtos histéricos, como anestesias, paresias, paralisias e amné-
sias. Mas não se sabia *como um sintoma histérico pode proceder da
alma*. As relações psíquicas causais eram totalmente desconhecidas.
Em 1880, o Dr. Breuer, velho clínico vienense, fez uma descoberta
que, na realidade, se tornou o começo da nova psicologia. Tinha uma
jovem cliente, muito inteligente, que sofria de histeria, isto é, para
sermos mais exatos, acusava, entre outros, os seguintes sintomas:
uma paralisação espasmódica (hirta) afetara-lhe o braço direito; era
acometida por repetidas "ausências" ou estados de sonolência; além
disso, tinha perdido o domínio da linguagem, pois não sabia mais
falar sua língua materna e não conseguia expressar-se senão em inglês
(a chamada afasia sistemática). Na época, tentaram elaborar teorias
anatômicas para explicar tais distúrbios, apesar de as partes do cérebro em que estão localizadas as funções do braço não se apresentarem
mais afetadas do que as de uma pessoa normal. A sintomatologia da
histeria é repleta de impossibilidades anatômicas. Uma senhora, que
havia perdido completamente a audição devido a uma afecção histérica, punha-se a cantar frequentemente. Certa vez, quando a cliente
entoou uma canção, o médico sentou-se ao piano despercebidamente
e a acompanhou em surdina. Na passagem de uma para outra estrofe, mudou repentinamente de tom. A paciente, sem se dar conta,
prosseguiu, cantando no novo tom. Logo, ela ouve e não ouve. As
várias formas de cegueira sistemática apresentam fenômenos semelhantes. Um homem sofre de cegueira histérica total. No decorrer
do tratamento, readquire a visão, mas, a princípio e durante muito
tempo, apenas parcialmente: vê tudo, exceto as cabeças das pessoas;
vê todas as pessoas que o cercam, sem cabeça. Logo, ele vê e não vê.
Pela observação de uma vasta série de experiências desse tipo, ficou
comprovado que só a parte consciente do doente não vê ou não ouve,
mas, de resto, a função do órgão do sentido está em perfeita ordem.
Esse estado de coisas entra em contradição frontal com o caráter de
um distúrbio orgânico, que sempre afeta a função em si.

5 Após essa digressão, voltemos ao caso de Breuer. Não existiam causas orgânicas que justificassem a perturbação. O caso devia ser considerado histérico, isto é, psicógeno. Breuer havia notado que o estado da cliente melhorava durante algumas horas, cada vez que a deixava falar – em estado de sonolência provocada ou espontânea – de todas as reminiscências e fantasias que lhe ocorressem. Utilizou-se disso sistematicamente, no decorrer do tratamento. A cliente inventou um nome: chamava-o de *"talking cure"* (conversa terapêutica) ou então, ironicamente, de *"chimney sweeping"* (limpar a chaminé).

6 A cliente adoecera quando cuidava do pai, mortalmente enfermo. Como é compreensível, suas fantasias giravam principalmente em torno dessa época repleta de emoções. As suas reminiscências daquele tempo ressurgiam, nos estados de sonolência, com tamanha precisão e com tantos detalhes, que se podia supor que um pensamento desperto jamais as teria reproduzido com a mesma forma e exatidão. (Essa intensificação da memória, que não raro se produz nos estados de consciência diminuída, é denominada *hipermnésia*.) Coisas insólitas foram sendo reveladas. Um dos relatos dizia mais ou menos o seguinte: certa noite, velava o doente, que ardia em febre, angustiadíssima com o seu estado e muito tensa, porque estavam à espera de um cirurgião de Viena que vinha para operá-lo. A mãe afastara-se por algum tempo e Ana (a paciente), sentada à cabeceira, apoiava o braço direito sobre o espaldar da cadeira. Pôs-se a sonhar acordada e viu uma cobra preta vindo da parede e aproximando-se do doente, prestes a mordê-lo. (É muito provável que no campo, atrás da sua casa, realmente existissem algumas cobras que já haviam assustado a menina anteriormente e que agora forneciam o material para a alucinação.) Queria repelir o animal, mas estava como que paralisada: o braço direito, que pendia sobre o espaldar da cadeira, estava "dormente", anestesiado e paresiado; quando olhou para ele, seus dedos transformaram-se em pequenas cobras com caveiras nas pontas. Provavelmente, estava querendo afugentar a cobra com a mão direita paralisada. Por isso a anestesia e a paralisia ficaram associadas à alucinação com a cobra. Quando esta desapareceu, quis rezar, angustiada; mas não conseguiu: não podia falar língua alguma; até que, finalmente, se lembrou de um verso infantil em inglês e pôde continuar a pensar e a rezar nessa língua.

Psicologia do inconsciente   23

Nesta cena ocorreram paralisia e distúrbio da fala. Ao relatá-   7
-la, isso desapareceu. Consta que o caso foi completamente resolvido dessa maneira.

Devo contentar-me aqui com esse único exemplo. No livro já   8
citado de Breuer e Freud encontramos uma quantidade de exemplos
similares. É bem compreensível que cenas dessa natureza tenham um
efeito muito grande e reproduzam uma profunda impressão. Por esta
razão, tendemos a atribuir-lhes significado causal na gênese do sintoma. A teoria procedente da Inglaterra, energicamente defendida
por Charcot, do *"nervous shock"* (choque nervoso), que na época
dominava a interpretação da histeria, prestava-se muito bem para
explicar a descoberta de Breuer. Daí resultou a chamada teoria do
trauma, segundo a qual o sintoma histérico e, na medida em que os
sintomas constituem a doença, a própria histeria vem da psique aba-
lada (trauma), persistindo inconscientemente durante vários anos as
impressões produzidas. Freud, que a princípio era colaborador de
Breuer, pôde comprovar fartamente essa descoberta. Ficou demonstrado que nenhuma das espécies de sintomas histéricos se produz por
acaso, e que esses são sempre causados por fatos que abalam a psique.
Assim sendo, a nova concepção abria um vasto campo de trabalho
empírico. O espírito pesquisador de Freud, porém, não podia fixar-se
por muito tempo nessa constatação superficial, pois já surgiam problemas mais profundos e bem mais difíceis. É óbvio que momentos de
intensa angústia, como os vividos pela paciente de Breuer, podem
deixar marcas indeléveis. Mas como é que ela viveu esses momentos, tão nitidamente marcados pelo patológico? Será que o can-
saço dos cuidados dispensados ao doente poderia ter provocado
esse efeito? Neste caso, coisas semelhantes deveriam ocorrer com
muito maior frequência, pois, infelizmente, são muitos os casos de
atendimento a doentes, extremamente extenuantes, e a saúde nervosa da pessoa que presta esses cuidados nem sempre é das melhores,
evidentemente. Para este problema temos na medicina uma excelente
resposta. Dizemos: o "X" do problema é a predisposição. As pessoas
são "predispostas" a tais coisas. Mas Freud indagava: em que consiste essa predisposição? O levantamento dessa questão levou, logicamente, à investigação da "pré-história" do trauma psíquico. Ora, é
frequente observar-se que cenas de forte conteúdo emocional, presen-
ciadas por diversas pessoas, têm um efeito diferente sobre cada uma

delas: coisas indiferentes ou mesmo agradáveis para algumas são consideradas repugnantes por outras. Haja vista o caso de sapos, cobras, ratos, gatos etc. Há mulheres que assistem tranquilamente a operações com efusão de sangue, mas que se põem a tremer de medo e nojo ao simples contato de um gato. Sei do caso de uma jovem que ficou sofrendo de histeria aguda por causa de um susto. Acabava de sair de uma festa. Era meia-noite; em companhia de vários amigos, ia a pé para casa. De repente, aproximou-se deles, por detrás, uma carruagem em disparada. Todos afastaram-se para os lados, menos essa moça, que, tomada de pânico, pôs-se a correr no meio da rua, na frente dos cavalos. O cocheiro estalava o chicote e vociferava. De nada adiantou. Ela desceu a rua inteira, correndo como uma desesperada. Chegando a uma ponte, já sem forças, achou que o único meio de escapar aos cavalos seria jogar--se ao rio. Por sorte, havia lá transeuntes que a detiveram. Esta mesma pessoa esteve por acaso em São Petersburgo, no fatídico dia 22 de janeiro de 1905, e presenciou uma operação do exército que varria a rua com rajadas de fogo. À sua direita e à sua esquerda as pessoas iam caindo por terra, mortas ou feridas. Mantendo grande calma e presença de espírito, assim que avistou um pórtico, esgueirou-se para a outra rua, escapando sã e salva. Esses momentos de horror não lhe causaram maiores problemas. Depois de ter presenciado tudo isso, encontrava-se perfeitamente bem e até com mais disposição do que antes.

9   Esse tipo de comportamento pode ser observado com bastante frequência. Donde se conclui que a intensidade de um trauma, em si, tem pouca determinação patogênica, mas este deve ter para o paciente um significado particular. Em outras palavras, não é o choque em si que provoca invariavelmente a doença, mas esta ocorre quando ele encontra uma determinada disposição psíquica, que poderia ser o fato de o paciente atribuir inconscientemente um significado específico ao choque. Seria esta a chave do segredo da predisposição? Vejamos: quais as circunstâncias peculiares da cena da carruagem? O medo tomou conta da jovem assim que ela ouviu aproximar-se o tropel dos cavalos. Numa fração de segundo teve a impressão de que fatalmente lhe ocorreria alguma desgraça terrível, como a morte, ou algo semelhante. A essa altura dos acontecimentos, já tinha perdido por completo o poder de raciocinar.

Parece que o momento decisivo foi determinado pelos cavalos. A reação irresponsável da moça a um acontecimento tão insignificante deve ser atribuída a uma predisposição; provavelmente, os cavalos tinham para ela um significado todo especial. Não seria infundada, por exemplo, a suspeita de que alguma experiência perigosa em seu passado estivesse ligada a cavalos. A confirmação dessa suspeita não tardou. Quando a paciente tinha sete anos de idade, durante um passeio de carruagem, os cavalos dispararam, aproximando-se em vertiginosa corrida de um barranco que descia abruptamente para um rio. O cocheiro saltou, gritando-lhe que fizesse o mesmo. O medo de morrer a impedia de obedecer, mas por fim saltou a tempo, um segundo antes dos cavalos e da carruagem caírem no abismo. Seria desnecessário provar por A + B que são profundas as impressões deixadas por acontecimentos desse tipo. No entanto, isso não explica por que mais tarde uma simples e inofensiva sugestão da situação provocaria uma reação tão descabida. Até aqui, sabemos apenas que o sintoma manifestado mais tarde teve um preâmbulo na infância. O que há de patológico no caso, porém, não foi esclarecido. É preciso conhecer outros dados para que se possa penetrar nesse mistério. À medida que as experiências foram-se multiplicando, foi sendo provado que, na totalidade dos casos até então analisados, existia, ao lado dos fatos traumáticos da vida, uma perturbação de ordem específica, situada no plano erótico. "Amor", como se sabe, é um conceito vastíssimo, que pode alcançar céus e infernos, em que se conjugam o bem e o mal, a nobreza e a baixeza. Com essa descoberta, operou-se na interpretação de Freud uma reviravolta considerável. Freud, baseando-se inicialmente na teoria do trauma de Breuer, procurou a causa das neuroses nos acontecimentos traumáticos da vida. Mas, depois dessa descoberta, deslocou o centro do problema para outro plano, bem diverso. Podemos pegar o caso citado como exemplo. Já compreendemos que os cavalos desempenharam, evidentemente, um papel peculiar na vida da paciente; mas o que não entendemos é sua reação posterior, absurda e exagerada. A anormalidade da história é que cavalos totalmente inofensivos a assustam. Como se descobriu que juntamente com os eventos traumáticos da vida desenvolve-se uma perturbação na área erótica, baseamo-nos nisso para investigar se algo de anormal aconteceu nesse sentido.

11   A jovem conhece um rapaz de quem pretende ficar noiva; ama-o e espera que seu casamento seja feliz. Fora isso, nada se descobre de imediato. A investigação, no entanto, não pode ser abandonada após o resultado negativo de uma questão superficial. Existem caminhos indiretos, quando o direto não conduz à meta. Voltemos, pois, àquele momento estranho em que a moça saiu correndo à frente dos cavalos. Indagamos a respeito dos amigos que a acompanhavam e da festa a que tinha ido. Fora um jantar de despedida de sua melhor amiga, que ia ausentar-se para um tratamento prolongado numa estação de águas no exterior, por causa de seu estado nervoso. Segundo ela, a amiga é casada, feliz e mãe de um filho. Podemos duvidar da informação acerca da felicidade da amiga, porque, se assim fosse, provavelmente não teria razões para estar nervosa, necessitando de tratamento. Mais adiante, fazendo algumas perguntas, fiquei sabendo que, assim que os amigos a alcançaram, minha cliente foi reconduzida à casa do anfitrião, por ter sido esta a maneira mais fácil de acomodá-la àquela hora da noite. Lá chegando, em seu estado de esgotamento, teve uma acolhida hospitaleira. Neste ponto da narrativa, a paciente silenciou, embaraçada e confusa, tentando mudar de assunto. Tratava-se, talvez, de uma reminiscência desagradável que de repente surgira. Após vencer a resistência obstinada da paciente, fiquei sabendo que naquela mesma noite ocorrera outro incidente insólito. O amável anfitrião lhe fizera uma ardente declaração de amor, o que, em vista da partida da dona da casa, criara uma situação um tanto difícil e embaraçosa. Ela disse que essa declaração a surpreendera como um relâmpago num dia de sol. Mas essas coisas sempre costumam ter seus antecedentes. Nas semanas seguintes, o trabalho consistiu em desenterrar, fragmento por fragmento, uma longa história de amor, até recompô-la por inteiro. Tentarei fazer um resumo: A paciente, quando criança, sempre tivera atitudes de menino. Só gostava de brincadeiras turbulentas, zombava do seu próprio sexo, reprimia toda feminilidade e evitava qualquer ocupação feminina. Depois da puberdade, quando poderia ter começado a se interessar pelo aspecto erótico, passou a fugir de toda companhia, odiando e desprezando tudo quanto, mesmo de longe, lhe lembrasse a condição biológica da pessoa humana. Vivia num mundo de fantasias, que nada tinha a ver com a realidade. Assim, foi-se furtando, até aos 24 anos de idade, a todas as pequenas aventuras, esperanças e expectativas que normalmente agitam inte-

riormente a mulher nessa idade. Foi quando teve a oportunidade de se aproximar de dois homens, que deveriam romper a cerca de espinhos que crescera ao seu redor. "A" era o marido de sua melhor amiga e "B", um amigo solteiro. Gostava de ambos. No entanto, logo lhe pareceu que gostava muito mais de B. Não tardou em estabelecer-se uma relação de intimidade entre ela e B, e já se falava num possível noivado. Devido às suas relações com B e com sua amiga, era frequente o seu contato com A, cuja proximidade muitas vezes a deixava agitada e inexplicavelmente nervosa. Naquela época, a paciente e seus amigos participaram de um banquete. Em dado momento, estando ela a brincar distraída com seu anel, este subitamente lhe escapou da mão, indo rolar para baixo da mesa. Os dois homens puseram-se a procurá-lo. Foi B quem o encontrou. Colocou-lhe o anel no dedo com um sorriso expressivo e perguntou: "Sabe o que isso quer dizer?" Ela teve imediatamente uma reação estranha, irresistível: arrancou o anel do dedo e jogou-o longe, pela janela aberta. Seguiu-se, naturalmente, um momento de embaraço e logo depois ela se retirou, deixando os amigos, com um mau humor insuportável. Pouco tempo depois, foi passar as férias de verão numa estância, onde, "por coincidência", o casal A também veraneava. A mulher de A começou a ficar visivelmente nervosa e, como não se sentisse bem, muitas vezes não saía de casa. Logo, a paciente tinha oportunidade de passear sozinha com A. Uma vez, foram dar uma volta de barco. Ela estava contente e animada. De repente, perdeu o equilíbrio e caiu na água. Como não soubesse nadar, A só conseguiu salvá-la com muita dificuldade, puxando-a já meio desfalecida para dentro do barco. Foi então que ele a beijou. Esse interlúdio romântico ligou-os mais fortemente um ao outro. No entanto, a paciente nunca permitiu que a profundidade dessa paixão lhe viesse à consciência, provavelmente por ter-se habituado desde cedo a negligenciar impressões dessa espécie, ou melhor, a esquivar-se delas. Para justificar-se perante si mesma, fez tudo para apressar seu noivado com B, convencendo-se de que o amava. Obviamente, esse jogo surpreendente foi logo captado pela aguçada percepção do ciúme feminino. Intuitivamente, sua amiga percebera o segredo e torturava-se com isso, o que aumentou seu nervosismo. Donde a necessidade de um tratamento e sua viagem ao exterior. Na festa de despedida, o espírito maligno aproximou-se da nossa doente e sussurrou-lhe ao ouvido:

Hoje à noite ele estará sozinho; alguma coisa deve acontecer contigo para que venhas à sua casa. E foi o que aconteceu: seu estranho comportamento a levou para a casa de A. Assim, conseguiu seu intento.

12 Esclarecido isso, não haverá quem não acredite que só um requinte diabólico poderia imaginar e executar um encadeamento de circunstâncias igual a esse. Do requinte, ninguém duvida; mas o julgamento moral é altamente suspeito. Insisto em afirmar, energicamente, que os motivos que levaram a essa dramatização da paciente não eram, de forma alguma, conscientes. Parecia que tudo lhe acontecera por acaso, sem que tivesse consciência de qualquer um dos motivos. Mas todos os antecedentes deixam bem claro que tudo estava inconscientemente programado para esse fim. Enquanto isso, a consciência esforçava-se para levar a bom termo o seu noivado com B. A compulsão inconsciente de seguir pelo outro caminho foi, entretanto, mais forte.

13 Aqui voltamos às nossas considerações iniciais, isto é, à questão da origem do patológico (ou seja, o insólito, o exagerado) da reação ao trauma. Baseado em outras experiências, suspeitei que nesse caso particular também havia, além do trauma, uma perturbação de ordem erótica. Essa suspeita foi inteiramente confirmada e leva à conclusão de que o trauma, motivo aparente da doença, nada mais é do que a oportunidade que algo fora do domínio da consciência – isto é, um importante conflito erótico – tem de se manifestar. Assim sendo, o trauma perde a exclusividade, sendo substituído por uma interpretação muito mais abrangente e profunda, que envolve um conflito erótico como agente patogênico.

14 Muitas vezes perguntam: por que a causa da neurose tem que ser justamente um conflito erótico e não outro conflito qualquer? A isso pode-se responder que ninguém afirma que assim seja, mas tem sido provado que é o que acontece mais frequentemente. Apesar de todas as asserções indignadas em contrário, a verdade é que o amor[8], com todos os seus proble-

---

8. No sentido lato que lhe é atribuído naturalmente e que não compreende apenas a sexualidade. Também não queremos dizer que o erotismo e suas perturbações sejam a *única* fonte das neuroses. As perturbações do amor podem ser de natureza secundária e provocadas por causas mais profundas. Existem ainda outras possibilidades de nos tornarmos neuróticos.

Psicologia do inconsciente

mas e conflitos, tem um significado fundamental na vida humana. Pesquisas sérias têm provado, constantemente, que a sua importância é muito maior do que o indivíduo suspeita.

Renunciou-se, portanto, à teoria do trauma, por estar superada. O fato de se reconhecer que não é o trauma, mas um conflito erótico oculto, que está na raiz da neurose, faz com que o trauma perca o seu significado causal[9].

---

9. As neuroses típicas de choque são uma exceção, como o choque de granadas, *railway spine* etc.

II
A teoria do eros

16   Com o conhecimento adquirido através das descrições do capítulo anterior, a questão do trauma foi inesperadamente respondida. Em compensação, a pesquisa viu-se diante do problema do conflito erótico, que contém uma série de elementos anormais, conforme mostra o nosso exemplo, e por isso, à primeira vista, não é comparável a um conflito erótico comum. O que chama a atenção, em primeiro lugar, de um modo quase inacreditável, é que só a aparência parece ser consciente, ao passo que a verdadeira paixão da paciente fica oculta. Nesse caso, não há dúvida de que a relação verdadeira ficou na penumbra, enquanto só a relação aparente dominava o campo da consciência. Se formulássemos teoricamente essa realidade, obteríamos a seguinte proposição: *na neurose existem duas tendências, que estão em estrita oposição uma à outra, sendo que uma delas é inconsciente.* Formulei-a intencionalmente nessa forma genérica, pois quero salientar que o conflito gerador da doença, embora não deixe de ser um fator pessoal, também é um conflito da humanidade inteira, em vias de manifestar-se, porque o desacordo consigo mesmo é um sinal do homem cultural. O neurótico é apenas um caso específico de pessoa humana em conflito consigo mesma, tentando conciliar, dentro de si, natureza e cultura.

17   Como é sabido, o processo cultural consiste na repressão progressiva do que há de animal no homem; é um processo de domesticação que não pode ser levado a efeito sem que se insurja a natureza animal, sedenta de liberdade. De tempos em tempos, como que uma onda de embriaguez varre a humanidade que vai se encravando dentro da coação cultural: a Antiguidade experimentou isso na onda de orgias dionisíacas vindas do Oriente, que depois se integraram como

Psicologia do inconsciente 31

um elemento essencial e característico da cultura antiga. Seu espírito contribuiu, em larga escala, para que o ideal estoico de numerosas seitas e escolas filosóficas do último século a.c. evoluísse para a ascese e o caos politeístico daquele tempo dando origem às religiões ascéticas de Mitra e de Cristo. Uma segunda vaga de embriaguez dionisíaca de libertação percorreu a humanidade ocidental durante a Renascença. É difícil fazer um julgamento crítico do tempo em que se vive. A série de questões revolucionárias levantadas na segunda metade do século passado incluía uma "questão sexual", que suscitou toda uma corrente literária. Nesse "movimento" radicam também os primórdios da psicanálise. Isso influiu consideravelmente na evolução unilateral da sua formação teórica. Ninguém fica completamente imune à influência das correntes contemporâneas. Assim é que a "questão sexual" foi visivelmente relegada para um segundo plano, dada a premência dos problemas políticos e ideológicos. Contudo, isso em nada altera o fato básico de que a natureza instintiva do homem sempre colide com as barreiras culturais. Os nomes vão mudando, mas o fato permanece o mesmo. Hoje em dia, sabe-se também que nem sempre é só a natureza instintiva animal que está em desacordo com a coerção cultural. Muitas vezes, novas ideias são premidas do inconsciente para a luz do dia, entrando em choque com a cultura dominante, tanto quanto os instintos. Atualmente, seria fácil estabelecer uma teoria política da neurose, uma vez que o homem de hoje está sendo agitado principalmente por paixões políticas, às quais a "questão sexual" constitui apenas um preâmbulo sem maior importância. É possível que ainda se venha a constatar que os abalos políticos não passam de precursores de uma convulsão religiosa, de repercussões muito mais profundas. O neurótico participa, sem ter consciência, das correntes dominantes do seu tempo, que estão configuradas em seu próprio conflito.

A neurose está intimamente entrelaçada com o problema do próprio tempo e representa uma tentativa frustrada do indivíduo de resolver dentro de si um problema universal. A neurose é uma cisão interna. Na maioria das pessoas, essa cisão representa uma ruptura entre o consciente, que desejaria manter-se fiel a seu ideal moral, e o inconsciente, que é atraído por seu ideal imoral (no sentido atual da palavra) e que a consciência tudo faz para desmentir. Esse tipo de pessoa é o daquelas que gostariam de ser mais decentes do que no fundo são.

No entanto, o conflito também pode dar-se no sentido inverso: há pessoas aparentemente muito indecorosas e desprovidas de convenções. No fundo, isso não passa de uma atitude pecaminosa, pois nelas o lado moral está no fundo, no inconsciente, da mesma forma que a natureza imoral no homem moral. (Por isso, sempre que possível, os extremos devem ser evitados, porque provocam a suspeita do contrário.)

19   Foram necessárias essas considerações de ordem geral, para tornar o conceito de "conflito erótico" mais compreensível. A partir dessa colocação, poderemos discutir, por um lado, a técnica psicanalítica e, por outro, a questão da terapia.

20   Essa técnica implica evidentemente a seguinte pergunta: qual o caminho mais seguro e rápido para se chegar ao conhecimento do que ocorre no inconsciente do paciente? O primeiro método aplicado foi a hipnose: o paciente era interrogado em estado de concentração hipnótica, ou então era induzido à produção espontânea de fantasias, no mesmo estado. Hoje esse método ainda é empregado ocasionalmente, mas, comparado à técnica atual, é obsoleto e, muitas vezes, insatisfatório. Na clínica psiquiátrica de Zurique desenvolveu-se um segundo método: o chamado *método associativo*[1]. Este método indica com precisão a presença de conflitos, na forma dos denominados *complexos* ideoafetivos, manifestados nas perturbações típicas das vivências[2]. Mas o método mais importante para se chegar ao conhecimento dos conflitos patogênicos é a análise dos *sonhos*. Foi Freud o primeiro a demonstrá-lo.

21   Pode-se dizer que o sonho é como a pedra desprezada pelos pedreiros e que depois se tornou a pedra angular. Efêmero e insignificante produto da nossa alma, o sonho nunca foi tão desprezado como em nossos dias. Antigamente, era muito valorizado como um prenunciador do destino, admoestando e consolando, como um emissário dos deuses. Hoje, é utilizado como porta-voz do inconsciente; sua função é revelar os segredos que a consciência desconhece, e realmente o faz com incrível perfeição. O "sonho manifesto",

---

1. Cf. JUNG. C.G. *Diagnostische Assoziationsstudien*. 2 vol., 1906 e 1910 [OC 2].
2. JUNG, C.G. Allgemeines zur Komplextheorie. *In*: *Über psychische Energetik und das Wesen der Träume*, 1948 [OC 8].

Psicologia do inconsciente

33

isto é, o sonho tal como nos lembramos dele, segundo Freud, é como a fachada de uma casa: à primeira vista nada revela de seu interior, que fica oculto por detrás da chamada censura do sonho. Permitindo-se que a pessoa fale sobre os detalhes de seu sonho – obedecidas determinadas regras técnicas – vemos que as ideias que lhe ocorrem seguem todas uma mesma direção, concentrando-se em torno de um assunto específico, de significado pessoal. Inicialmente, essas ideias assumem um sentido que se dissimulava por trás do enredo do sonho. Uma análise comparativa minuciosa desse sentido pode revelar, no entanto, a relação sutilíssima dos seus menores detalhes com a fachada do sonho. Esse complexo específico de pensamentos em que se concentram todos os fios do sonho é o conflito procurado, que se apresenta numa variação condicionada pelas circunstâncias. Na opinião de Freud, o lado desagradável e incompatível do conflito fica tão velado ou diluído, que se pode falar em realização de desejo. É evidente que os casos de satisfação de desejos expressos – como os sonhos de sensações corporais – ocorrem raramente, mas existem. Por exemplo, acontece que uma sensação de fome manifestada durante o sono possa ser satisfeita por um sonho em que o desejo de comer é aplacado por uma farta refeição. Outro exemplo seria o sonho que se tem na hora em que é preciso levantar-se, quando se quer continuar dormindo: o desejo é satisfeito sonhando-se que já se levantou. E assim por diante. Mas são poucos os sonhos assim tão simples. De acordo com Freud, também existem desejos inconscientes, incompatíveis com as ideias conscientes do estado desperto. São os desejos desagradáveis, que preferimos não conhecer. Entretanto, são justamente os elementos formadores do sonho. Por exemplo: uma filha tem um amor carinhoso pela mãe; no entanto, para grande desespero seu, sonha com a morte da mãe. Freud diria que essa filha tem o desejo penoso, mas inconsciente, de que a mãe (contra quem nutre resistências secretas) desapareça deste mundo o mais breve possível. Mesmo a filha mais irrepreensível pode ter tais desejos. No entanto, ela os repeliria violentamente, caso quiséssemos responsabilizá-la por isso. Aparentemente, o sonho manifesto não satisfaz nenhum desejo, mas exprime temor e preocupação, ou seja, exatamente o contrário do suposto impulso do inconsciente. Ora, é sabido que um *excesso* de preocupação, frequentemente, e com razão, suscita a suspeita do contrário. (O leitor crítico terá razão em perguntar: será exagerada a preocupação expressa no sonho?) São incontáveis os sonhos desse tipo, em que aparentemente não há o menor indício de realização de desejo. O conflito elaborado no sonho é inconsciente; o mesmo se dá com a respectiva tentativa de solução. Existe na filha que teria sonhado uma tendência real de afastar a mãe: na linguagem do inconsciente isso significa "morte". É óbvio que ela não pode ser considerada responsável por essa tendência, pois, para sermos exatos, não foi ela quem fabricou o sonho, mas sim o seu inconsciente. É este que tem a tendência de afastar a mãe, sem que a filha o saiba. O fato de essas coisas se manifestarem nos sonhos prova, justamente, que não são pensadas conscientemente. A filha não compreende por que a mãe deveria sumir de sua frente. Pois bem, sabe-se que certa camada do inconsciente contém tudo o que ficou perdido em termos de reminiscências e todos os impulsos infantis que não puderam ser utilizados na vida adulta. Pode-se dizer que quase tudo o que vem do inconsciente tem primeiramente um caráter infantil. Assim, também este desejo, que parece muito simples: papai, quando a mamãe morrer, você casa comigo, não é? Tal desejo infantil, assim expresso, substitui um desejo recente, mas doloroso (por motivos ainda não apurados), de se casar. Este pensamento, ou melhor, a seriedade da sua intenção, é, por assim dizer, "recalcada no inconsciente", exprimindo-se necessariamente de modo infantil, uma vez que o material de que dispõe o inconsciente é composto em grande parte de reminiscências infantis.

22   No sonho em consideração, trata-se, aparentemente, de um impulso infantil de ciúme. De certa maneira, a filha está apaixonada pelo pai; daí o desejo de afastar a mãe. Seu verdadeiro conflito, porém, é o seguinte: de um lado, gostaria de se casar; mas, de outro, não consegue assumir a decisão. É assaltada por dúvidas como: nunca se sabe no que vai dar; será que é o homem certo? etc. Por outro lado, a vida na casa dos pais é tão boa; vou ter que me separar da mãezinha querida, tornar-me adulta, independente..., será que vou conseguir? No entanto, percebe a seriedade da questão do casamento, que exige uma tomada de posição e não permite recuo para os braços de papai e mamãe, envolvendo a família toda no problema que o destino lhe propõe. Deixou de ser a criança de outrora; agora é alguém que quer casar. Ela se situa como tal, isto é, com o desejo

Psicologia do inconsciente

de conquistar um homem. Mas na família o homem é o pai, e é nele que recai, sem que a filha o perceba, o desejo de conquistar um homem. Mas isso é *incesto*. Daí resulta uma intriga incestuosa secundária. Mas, na opinião de Freud, a tendência incestuosa é primária: a verdadeira razão pela qual a filha não consegue decidir-se pelo casamento. Para ele, as outras razões invocadas não têm grande importância. Em relação a esta interpretação, venho sustentando há muito tempo o ponto de vista de que o aparecimento ocasional do incesto não prova a existência de uma tendência universal para o incesto, assim como um assassínio não revela a existência do prazer de trucidar como fonte geradora de conflitos em todos os homens. Mas também não pretendo negar que em cada indivíduo exista, potencialmente, a possibilidade de cometer qualquer crime. Mas entre a existência do germe e o conflito real – com a cisão de personalidade daí resultante, como é o caso da neurose – há uma diferença colossal.

Quando se acompanha atentamente a história de uma neurose, sempre se depara com o momento crítico do aparecimento de um problema do qual o indivíduo se desviou. Ora, esse desviar-se é uma reação tão natural e constante como a preguiça, o comodismo, a covardia, o medo, o não saber e a inconsciência que estão em sua base. Em geral hesitamos diante de coisas desagradáveis, difíceis e perigosas, e delas não nos aproximamos. A meu ver, estas razões são plenamente convincentes. A sintomatologia do incesto – que é inegável e foi vista por Freud com inteiro acerto – me parece ser um fenômeno secundário, mórbido. 23

Muitas vezes o sonho apresenta pormenores aparentemente pueris, à primeira vista ridículos e exteriormente sem pé nem cabeça, deixando-nos, quando muito, intrigados. Por isso, num primeiro momento, sempre há uma resistência a vencer, antes de nos darmos seriamente ao trabalho paciente de desenrolar, fio por fio, a trama emaranhada. Quando, finalmente, deparamos com o verdadeiro sentido de um sonho, já penetramos no âmago dos segredos de quem sonhou e vemos, cheios de espanto, como um sonho aparentemente desprovido de sentido é engenhoso e só exprime coisas graves e importantes. Esta constatação requer de nossa parte um maior respeito pelo que se chama de superstição da interpretação de sonhos, que o racionalismo da nossa época desprezou ostensivamente até agora. 24

25 Como diz Freud, a análise do sonho é a *"via regia"* para se chegar ao inconsciente; por conduzir aos segredos pessoais mais profundos, torna-se um instrumento de inestimável valor nas mãos do médico e educador da alma.

26 O método analítico em geral, e não só a psicanálise freudiana, consiste precipuamente em numerosas análises de sonhos, já que são eles que vão trazendo à tona, sucessivamente, os conteúdos do inconsciente no decorrer do tratamento, expondo-os à força purificadora da luz do dia. Nesse processo também são redescobertos muitos fragmentos valiosos, que se julgava perdidos. Assim sendo, o início do tratamento não pode deixar de ser um suplício para muitas pessoas que têm uma falsa imagem de si mesmas, pois, aplicando o antigo ditado místico "abre mão do que tens e receberás", terão que renunciar a quase todas as caras ilusões que têm a seu respeito, para deixar brotar algo muito mais profundo, maior e mais belo dentro de si. Uma sabedoria antiquíssima volta à luz do dia, com o tratamento. Curiosamente, é no auge da nossa cultura atual que esse tipo de educação da alma se faz necessária. Tal processo educativo é comparável, em mais de um aspecto, à técnica socrática, não obstante serem bem maiores as profundidades atingidas pela análise.

27 A orientação da pesquisa freudiana tentava demonstrar a primazia do fator erótico-sexual na origem do conflito patogênico. Segundo essa teoria, há uma colisão entre a tendência do consciente e o desejo imoral, incompatível, do inconsciente. O desejo inconsciente é infantil, ou melhor, é um desejo proveniente do passado infantil que não se adequa mais ao presente, razão pela qual é reprimido, e isso por motivos morais. O neurótico tem a alma de uma *criança* e suporta mal as restrições arbitrárias, cujo sentido não reconhece; aliás, ele procura apropriar-se dessa moral, mas desavém-se consigo mesmo. Quer reprimir-se, por um lado, e libertar-se, por outro. A este conflito damos o nome de neurose. Se esse conflito fosse claro e totalmente consciente, é provável que nunca daria origem a sintomas neuróticos; estes só aparecem quando não se consegue ver o outro lado do próprio ser, nem a premência dos seus problemas. O sintoma parece produzir-se unicamente nessas condições, e ajuda o lado não reconhecido da alma a exprimir-se. Segundo Freud, o sintoma é, portanto, uma realização de desejos não reconhecidos, que, se fossem reconhecidos, entrariam em

Psicologia do inconsciente   37

violenta oposição às convicções morais. Como já dissemos, o doente não pode lidar com ele, nem melhorá-lo, aceitá-lo ou renunciar a ele porque, na realidade, seus movimentos impulsivos nem existem mais, pois foram recalcados, eliminados da hierarquia consciente, transformando-se em complexos autônomos. Pela análise, e só depois de vencidas enormes resistências, esses impulsos são devolvidos à tutela da consciência. Há pacientes que se vangloriam, dizendo que neles o lado sombrio não existe; asseguram que não têm conflitos. Não veem, porém, que em compensação esbarram em outras tantas coisas, cuja origem desconhecem, tais como humores histéricos, artimanhas tramadas contra si mesmos ou contra o próximo, inflamações estomacais de origem nervosa, dores aqui e ali, irritabilidade sem motivo aparente, e todo um séquito de sintomas nervosos.

A psicanálise de Freud foi acusada de libertar no homem os   28
instintos animais (felizmente) reprimidos, provocando com isso uma catástrofe de consequências imprevisíveis. Este receio evidencia a pouca confiança que se deposita na eficácia dos atuais princípios da moral. Até parece que só a pregação moral pode impedir o homem de se precipitar numa libertinagem desenfreada. No entanto, a necessidade é um regulador muito mais eficaz, pois estabelece limites para a realidade, o que é muito mais convincente do que todos os princípios morais reunidos. É certo que a psicanálise pode tornar conscientes todos os instintos animais, mas não, como alguns interpretam, para deixá-los entregues a uma liberdade sem freio, e sim para integrá-los num todo harmonioso. Aliás, quaisquer que sejam as circunstâncias, é uma vantagem poder dominar plenamente a personalidade; caso contrário, os conteúdos reprimidos vão aparecer em outro lugar, estorvando o caminho – e isso não em pontos secundários, mas justamente nos pontos mais vulneráveis. As pessoas, quando educadas para enxergarem claramente o lado sombrio de sua própria natureza, aprendem ao mesmo tempo a compreender e amar seus semelhantes; pelo menos, assim se espera. Uma diminuição da hipocrisia e um aumento do autoconhecimento só podem resultar numa maior consideração para com o próximo, pois somos facilmente levados a transferir para nossos semelhantes a falta de respeito e a violência que praticamos contra nossa própria natureza.

29   Segundo a teoria freudiana da repressão, parece, no entanto, que só as pessoas de *moralidade excessiva* reprimem sua natureza instintiva. Logo, a pessoa imoral, que não põe freios aos seus instintos, deveria ser completamente imune à neurose. A experiência nos ensina, evidentemente, que não é este o caso. Esta pode ser tão neurótica quanto aquelas. A análise de uma pessoa imoral revela que houve simplesmente uma repressão do lado moral. Um neurótico imoral é a imagem do "pálido criminoso", que não está à altura do seu ato, tão bem descrito por Nietzsche.

30   Num caso assim, poderíamos supor que os restos de decência reprimidos não passariam de convenções tradicionais infantis, que puseram freios desnecessários à natureza instintiva, razão pela qual seria melhor extirpá-las de uma vez por todas. Com o princípio *"écrasez l'infâme"*, culminaríamos numa teoria da fruição absoluta. Naturalmente, isto seria completamente fantástico e absurdo. Pois não devemos esquecer – e devemos isso à escola de Freud – que a moral não foi trazida do alto do Sinai em forma de tábuas e imposta ao povo, mas constitui uma função da alma humana, tão antiga quanto a própria humanidade. A moral não nos é imposta de fora, nós a temos definitivamente dentro de nós mesmos, *a priori*; não a lei, mas o ser moral, sem o que seria impossível conviver na sociedade humana. Eis por que a moral é encontrada em todos os níveis da sociedade. É um regulador instintivo das ações, ordenando também a convivência das hordas animais. As leis morais, porém, só têm validade dentro de um grupo de convívio humano. Fora dele, deixam de existir, pois reina, desde sempre, aquela verdade antiquíssima: *"homo homini lupus"* (o homem é o lobo do homem). À medida que uma cultura se desenvolve, é possível submeter massas humanas cada vez maiores ao domínio de uma mesma moral. No entanto, até hoje foi impossível estabelecer uma lei moral que se impusesse além dos limites da sociedade, isto é, no espaço livre de grupos que não dependem um do outro. Aí, como no tempo dos nossos ancestrais, impera a ausência do direito e da disciplina e a mais completa imoralidade; esta, no entanto, só é denunciada pelo inimigo casual que com ela se confronta.

31   A prática freudiana está de tal forma convencida da importância fundamental e exclusiva da sexualidade na neurose que, para ser coerente, passou a atacar corajosamente a moral sexual de seu tempo.

Psicologia do inconsciente 39

Isto, sem dúvida, foi útil e necessário, pois dominavam nesse terreno, como ainda hoje, concepções insuficientemente diferenciadas, em vista da complexidade da questão. Assim como na Baixa Idade Média a transação a dinheiro era profundamente desprezada, devido à inexistência de uma moral casuística diferenciada da transação, sujeita apenas a uma moral global, hoje se pode dizer que só existe uma moral sexual global, indiferenciada. Uma moça solteira que tenha um filho é condenada, e ninguém pergunta se ela é uma pessoa digna ou não. Qualquer forma de amor que não tenha o beneplácito do direito é imoral, quer seja vivido por pessoas de grande valor ou por canalhas. Isto porque ainda estamos hipnotizados por *o que* o homem faz, esquecendo-nos do *como*, exatamente como as transações de dinheiro na Idade Média, identificadas com o metal reluzente, objeto de cobiça e, portanto, com o próprio diabo.

A coisa não é tão simples assim. O erotismo constitui um problema controvertido e sempre o será, independentemente de qualquer legislação futura a respeito. Por um lado, pertence à natureza primitiva e animal do homem e existirá enquanto o homem tiver um corpo animal. Por outro, está ligado às mais altas formas do espírito. Só floresce quando espírito e instinto estão em perfeita harmonia. Faltando-lhe um dos dois aspectos, já se produz um dano ou, pelo menos, um desequilíbrio, devido à unilateralidade, podendo resvalar facilmente para o doentio. O excesso de animalidade deforma o homem cultural; o excesso de cultura cria animais doentes. Este dilema mostra toda a insegurança que o erotismo traz ao homem. No fundo, é algo muito poderoso que, como a natureza, pode ser dominado e usado, como se fosse impotente. Mas o triunfo sobre a natureza se paga muito caro. A natureza dispensa quaisquer declarações de princípios, contenta-se com tolerância e sábias medidas.

"Eros é um grande demônio", declara a sábia Diotima a Sócrates. Nunca o dominamos totalmente; se o fizermos, será em prejuízo próprio. Eros não é a totalidade da natureza em nós, mas é pelo menos um dos seus aspectos principais. A teoria sexual da neurose freudiana fundamenta-se, portanto, num princípio verdadeiro e real. Comete, no entanto, o erro da unilateralidade e da exclusividade, além da imprudência de querer apreender Eros, que nunca se deixa capturar numa grosseira terminologia sexual. Neste ponto Freud é também um dos representantes de sua época materialista[3], que nutria a esperança de resolver todos os enigmas do mundo num tubo de ensaio. O próprio Freud, depois de velho, reconheceu essa falta de equilíbrio de sua teoria e contrapôs a Eros, que chamou de *libido*, o *instinto de morte*, ou *de destruição*[4]. Lê-se em seus escritos póstumos: "Depois de muito hesitar e oscilar, resolvemos admitir apenas dois impulsos básicos: Eros e o impulso de destruição... A meta do primeiro é estabelecer unidades cada vez maiores e conservá-las; logo, é união. A meta do outro, ao invés, é dissolver relações e assim destruir as coisas. Por isso, também é chamado de instinto de morte"[5].

34   Contento-me com esta referência, sem entrar mais a fundo nas controvérsias acerca do conceito. É claro que a vida, como todo ciclo, tem um começo e um fim e que cada começo também é o começo do fim. Freud quer dizer, provavelmente, que todo ciclo é um fenômeno energético e que a energia só pode ser produzida pela tensão dos contrários.

---

3. JUNG, C.G. *Sigmund Freud als kulturhistorische Erscheinung* [OC 15].

4. Esta ideia é de autoria de minha aluna Dra. S. Spielrein. Cf. Die Destruktion als Ursache des Werdens, publicado no *Jahrbuch für psychoanalytische und psychopathologische Forschungen*, 1912. Este trabalho é mencionado por Freud, que introduz o impulso de destruição ou de morte em seu ensaio *Jenseits des Lustprinzips*, capítulo 5.

5. FREUD, S. *Abriss der Psychoanalyse*. Frankfurt am Main: [s.e.], 1941, cap. 2, p. 70.

III
Outro ponto de vista: a vontade de poder

Até agora encaramos o problema dessa nova psicologia essencialmente a partir do ponto de vista de Freud. Não resta a menor dúvida de que isso nos proporcionou uma visão de algo verdadeiro que o nosso orgulho, a nossa consciência cultural, talvez não quisesse aceitar. Mas alguma coisa em nós diz: sim, aceito. Muita gente acha isso irritante, protesta e, vendo o esforço que isso requer, nem mesmo quer admiti-lo. O fato de o homem ter um lado sombrio é terrível, convenhamos, pois esse lado não é feito apenas de pequenas fraquezas e defeitos estéticos, mas tem uma dinâmica francamente demoníaca. É raro que o homem, o indivíduo, saiba disso. Parece-lhe inconcebível que possa, em algum ponto ou de alguma forma, exceder-se a si mesmo. Mas se deixarmos que esses seres inofensivos formem uma massa, em determinadas circunstâncias essa massa pode dar origem a um monstro delirante. Cada indivíduo não passará, então, de uma célula minúscula no corpo do monstro; querendo ou não, já não terá outro jeito senão participar do desvario sanguinário da besta, apoiando-a na medida de suas forças. Basta um surdo pressentimento dessas possibilidades do lado sombrio da humanidade para nos recusarmos a reconhecê-lo. Rebelamo-nos cegamente contra o dogma edificante do pecado original, que, no entanto, é incrivelmente verdadeiro. Sim, hesitamos até em reconhecer o conflito, que, no entanto, se manifesta tão dolorosamente. É compreensível que uma orientação psicológica que insista no lado sombrio não seja bem-vinda e até nos amedronte, pois nos obriga a um confronto com um problema insondável. Temos uma secreta intuição de não estarmos totalmente isentos desse lado negativo e de que, pelo fato de termos um corpo, este projeta sua sombra – como todo corpo, aliás. Ela nos diz ainda que, se renegarmos nosso corpo, não somos tridimensionais, mas sim planos, ilusórios. Mas este corpo é um animal com alma animal, isto é, um sistema vivo, que *obedece necessariamente ao instinto*. Associando-nos a essa sombra, dizemos "sim" ao instinto e também àquela dinâmica fabulosa que ameaça por trás dela. A moral ascética do cristianismo quer livrar-nos disso e assim nos expõe ao risco de perturbar o mais profundo de nossa natureza animal.

36   Teremos uma ideia clara do que significa dizer "sim" ao instinto? Nietzsche quis ensiná-lo e foi honesto em seu empreendimento. Com rara paixão, sacrificou sua vida inteira e a si mesmo à ideia do super-homem, isto é, à ideia do homem que, obedecendo ao seu instinto, também excedesse a si mesmo. E como transcorreu sua vida? Da maneira como ele a profetizou no *Zaratustra*: naquela queda mortal, premonitória, do saltimbanco, do "homem" que não queria que "lhe passassem por cima". Zaratustra diz ao moribundo: "Tua alma morrerá mais depressa do que o corpo!" E mais tarde diz o anão a Zaratustra: "Ó Zaratustra, pedra da sabedoria, tu te lançaste ao alto; mas toda pedra lançada ao alto há de cair! Condenaste a ti mesmo ao apedrejamento. Ó Zaratustra, lançaste a pedra longe, mas sobre ti ela cairá!" Quando ele invocou o *"Ecce homo"*, já era tarde demais, como outrora; ao dizer a palavra pela primeira vez, a crucificação da alma principiara, bem antes de o corpo morrer.

37   A vida de quem ensinou a dizer "sim" dessa maneira deve ser examinada criticamente, para que sejam investigados os efeitos de um tal ensinamento na própria pessoa que o ministrou. A observação da sua vida leva-nos a dizer: Nietzsche viveu muito *além do instinto*, nas alturas do heroísmo. Foi-lhe possível manter-se nessas alturas graças à mais meticulosa dieta, num clima privilegiado e ingerindo grande quantidade de soníferos, até que a tensão lhe estourou os miolos. Falava no "sim" e vivia o "não" para a vida. Seu nojo dos homens, isto é, do homem animal, que vive por instinto, era demasiado grande. Não conseguia engolir a rã com que sonhava frequentemente e ficava apavorado porque era preciso engoli-la. Rugindo o leão zaratustrano fazia com que todos os homens "superiores", que clamavam pela participação vital, regressassem à caverna do inconsciente. Logo, sua vida não demonstra seu ensinamento. Porque o homem "superior" quer poder dormir sem barbitúricos, quer viver em Naumburgo

Psicologia do inconsciente 43

ou na Basileia, mesmo com "bruma e sombras", quer mulher e filhos, quer ter valor e ser reconhecido pelo rebanho, quer tantas coisas banais e, por que não?, quer simplesmente ser burguês. Nietzsche não viveu esse instinto, esse instinto animal de vida. Sem menosprezar sua grandeza e importância, ele foi uma personalidade mórbida.

Mas de que viveu ele, se não foi por instinto? Podemos acusá-lo de ter praticamente negado o seu instinto animal? Sem dúvida, ele próprio não concordaria com tal acusação. E até poderia nos provar, sem dificuldade, que viveu o instinto em seu sentido mais elevado. Como é possível, perguntamo-nos surpresos, que a natureza instintiva do homem o tenha justamente afastado do convívio dos homens, relegando-o ao mais absoluto isolamento, defendido pelo nojo do contato com o rebanho? Então o instinto não junta, não copula, não gera, não busca o prazer e a vida gostosa, a satisfação de todos os desejos sensuais? Mas nós nos esquecemos por completo de que este é apenas um dos rumos possíveis do instinto. Não existe unicamente o instinto de *conservação da espécie*, existe também o de *autoconservação*.

É sem dúvida deste último instinto que Nietzsche nos fala, isto é, da *vontade de poder*. Para ele, tudo que existe de instintivo é decorrência da vontade de poder. Considerado do ponto de vista da psicologia sexual de Freud, isto é um erro. O adepto da psicologia sexual provará facilmente que todo o exagero, todo o heroísmo da concepção nietzscheana da vida e do mundo não passam de consequências da repressão e do desconhecimento do "instinto", isto é, do instinto considerado fundamental por essa psicologia.

O caso de Nietzsche mostra, por um lado, as consequências da unilateralidade neurótica e, por outro, os perigos que se corre quando se faz abstração do cristianismo. Incontestavelmente, Nietzsche sentiu em toda a sua profundidade a renegação cristã da natureza animal e buscou uma totalidade humana mais elevada, que superasse o bem e o mal. Quem discorda a fundo das linhas básicas do cristianismo, também abre mão da proteção que ele proporciona. *Rende-se forçosamente à alma animal*. É o momento do delírio dionisíaco, a revelação subjugadora da "besta loura"[1], que se apodera do

---

1. Cf. JUNG, C.G. *Über das Unbewusste*, 1918 [OC 10].

incauto com arrepios imprevistos. Assim subjugado, torna-se um herói ou um deus, com uma grandeza muito acima do humano. Sente-se como se estivesse a "6 mil pés além do bem e do mal".

41 Este é o estado que o observador-psicólogo designa como "identificação com a sombra", fenômeno que se produz com grande regularidade nesses momentos de luta com o inconsciente. O único remédio nesses casos é a reflexão autocrítica. Primeiro, e antes de mais nada, é extremamente improvável que a descoberta que acabamos de fazer seja uma verdade capaz de abalar o mundo, pois é muito raro acontecer isso na história. Segundo, temos que fazer uma investigação cuidadosa para saber se já ocorreu algo semelhante em outros lugares, por exemplo, Nietzsche poderia ter traçado, como filólogo, alguns paralelos bem nítidos com a Antiguidade; isso o teria certamente tranquilizado. Terceiro, é de se ponderar que uma experiência dionisíaca pode representar simplesmente o retorno de uma forma pagã de religião, o que não seria novidade; só que a história recomeçaria tudo de novo. Quarto, é matematicamente certa a previsão de que à alegria e ao êxtase que nos arrebatam a alturas heroicas e divinas corresponde uma queda proporcional em profundidade. Assim, teríamos condições de reduzir todo esse arrebatamento à simples medida de uma escalada de montanha um tanto cansativa, seguida do eterno dia a dia. Como todo riacho busca o vale e todo rio caudaloso corre para a planície, assim transcorre a vida, não só no dia a dia, mas transformando tudo no corriqueiro dia a dia. O diferente, o excepcional, quando não redunda em catástrofe, pode ir-se entremeando no dia a dia, mas sem exceder as medidas. Quando o heroísmo se torna crônico, acaba em crispação; e esta leva à catástrofe, ou à neurose, ou a ambas. Nietzsche ficou entalado na exaltação. Pelo êxtase não precisava ter rompido com o cristianismo. E isso não responde ao problema da alma animal, pois o animal extático é um disparate. Um animal cumpre a lei da sua vida, nada mais, nada menos. Podemos chamá-lo de obediente e piedoso. O extático passa por cima da lei da vida e comporta-se desordenadamente em relação à natureza. A desordem é prerrogativa exclusiva do homem, cuja consciência e livre arbítrio podem desligar-se *contra naturam* e, ocasionalmente, de suas raízes animais. Esta particularidade é a base imprescindível de toda cultura, mas também da doença psíquica, quando exagerada. A

Psicologia do inconsciente 45

cultura é tolerável só até certo ponto, o dilema sem fim entre cultura e natureza, no fundo sempre uma questão de insuficiência ou excesso, nunca uma opção entre uma ou outra.

O caso de Nietzsche nos põe diante de uma interrogação: o que   42
lhe foi revelado através do embate com a sombra, ou seja, a vontade de poder, deve ser interpretado como algo alheio à natureza, como um sintoma de repressão? A vontade de poder é algo genuíno ou secundário? Se o conflito com a sombra tivesse liberado uma maré de fantasias sexuais, o caso estaria claro. Mas não foi isso que aconteceu. O "X" do problema não era Eros, mas o poder do eu. Donde se conclui que o que está reprimido não é Eros, mas a vontade de poder. A meu ver, não há nenhuma razão para admitir a autenticidade de Eros e negar a da vontade de poder; esta é, sem dúvida, um demônio tão grande, antigo e primordial quanto Eros.

Não é admissível considerar inautêntica uma vida como a de   43
Nietzsche, pois ela foi vivida até as últimas e fatais consequências, numa grande fidelidade à natureza do impulso de poder que lhe servia de base. Cometeríamos a mesma injustiça que Nietzsche cometeu em relação a Wagner, seu antípoda: "Tudo nele é falso; o que existe de autêntico está oculto ou é acessório. É um ator, em todos os sentidos bons e maus da palavra". De onde vem esse preconceito? Wagner é simplesmente um representante daquele outro impulso fundamental, que Nietzsche não levou em conta e que é a base sobre a qual Freud erigiu sua psicologia. Investigando se Freud desconhecia o outro impulso, o de poder, somos levados a concluir que ele o englobou sob o nome de "impulso do eu". Mas em sua psicologia esses "impulsos do eu" têm um lugar insignificante, comparado com o desenvolvimento inflacionado do fator sexual. Na realidade, a natureza humana é portadora de um combate cruel e infindável entre o princípio do eu e o princípio do instinto: o eu, todo barreiras; o instinto, sem limites; ambos os princípios com igual poder. De certa forma, o homem pode considerar-se feliz por ter consciência somente de um dos impulsos; e é prudente que evite conhecer o outro. Mas, caso venha a conhecer esse outro impulso, pode considerar-se perdido: entra no conflito de Fausto. Goethe mostrou, na primeira parte do *Fausto*, o que significa a aceitação do instinto e, na segunda parte, o que significa a aceitação do eu e de todo o seu fundo estarrecedor. Tudo o que há

de insignificante, mesquinho e covarde em nós recua diante disso e se safa, lançando mão de um bom subterfúgio: descobrimos a nossa "alteridade" em "outrem", ou melhor, descobrimos outra pessoa que pensa, age, sente e deseja tudo aquilo que condenamos e desprezamos. Achamos o nosso bode expiatório e, satisfeitos, iniciamos o combate a ele. Daí resultam aquelas idiossincrasias crônicas, de que temos alguns exemplos na história dos costumes. Um dos exemplos mais ilustrativos é, como dissemos, o caso "Nietzsche contra Wagner, contra Paulo" etc. No entanto, casos como este pululam na vida cotidiana. Recorrendo a esse habilíssimo estratagema, o homem se salva da catástrofe de Fausto, pois provavelmente lhe faltam força e coragem para enfrentá-la. Um homem completo, no entanto, sabe que mesmo seu mais feroz inimigo, não um só, mas um bom número deles, não chega aos pés daquele terrível adversário, ou seja, aquele "outro" que "habita em seu seio". Nietzsche tinha Wagner *dentro de si*; por isso, invejou-lhe o Parsifal. E pior ainda: o próprio Saulo também tinha Paulo dentro de si. Por isso Nietzsche tornou-se um estigmatizado do espírito; precisava experimentar a "cristificação", como Saulo, quando a "alteridade" lhe inspirou o *"Ecce homo"*. Quem "desmoronou ao pé da cruz": Wagner ou Nietzsche?

Quis o destino que um dos primeiros discípulos de Freud, Alfred Adler[2], estabelecesse um conceito de essência da neurose baseado exclusivamente no princípio do poder. É interessantíssimo e particularmente estimulante ver como as coisas vistas sob enfoques opostos têm um aspecto inteiramente diverso. Antecipando a principal contradição, quero mencionar de início que, para Freud, tudo é efeito estritamente causal de fatos anteriores e, para Adler, ao contrário, tudo é manobra condicionada pelo fim. Vejamos um exemplo bem simples: uma jovem senhora é acometida por acessos de medo. Durante a noite, acorda de um pesadelo com um grito dilacerante. Depois, mal consegue acalmar-se. Agarra-se ao marido, fazendo-o jurar que nunca a abandonará, repetir constantemente que a ama etc. Pouco a pouco seu estado evolui para uma asma nervosa. Passa a ter acessos, mesmo durante o dia.

---

2. ADLER, A. *Über den nervösen Charakter*. Grundzüge einer vergleichenden Individualpsychologie und Psychotherapie. Viena: [s.e.], 1912.

Num caso desses, a prática freudiana entranha-se imediatamente 45 na causalidade interna do quadro patológico. Quais conteúdos dos primeiros sonhos de pavor? Touros selvagens, leões, tigres, homens maus a atacavam. Quais as associações da paciente? O seguinte episódio ocorreu quando ainda era solteira: foi numa estação termal, nas montanhas. Jogava-se muito tênis. Como costuma acontecer, travavam-se novos conhecimentos. Encontrou um italiano, jovem, exímio tenista, que à noite costumava tocar violão. Começaram um flerte inocente, que os levou a passear ao luar. O temperamento italiano irrompeu "inesperadamente" nessa hora, para grande susto da moça inexperiente. Ele a olhava "de um jeito" que nunca mais pôde esquecer. Esse olhar continua perseguindo-a até nos sonhos; mesmo os animais selvagens que a perseguem olham-na desse jeito. Será que o italiano foi mesmo o primeiro a olhá-la assim? Outra reminiscência esclarece-nos a esse respeito. Aos 14 anos a paciente perdera o pai num acidente. Este era um homem mundano e viajava muito. Pouco antes de sua morte, levara-a consigo a Paris, onde estiveram, entre outros lugares, no Folies Bergères. À saída do teatro houve uma cena que na hora não a impressionou muito: subitamente, uma mulher muito maquiada foi-se encostando no pai com incrível atrevimento. Olhou assustada para ele, querendo ver o que ia fazer; e viu exatamente aquele olhar, aquele fogo animal nos olhos. Algo de inexplicável passou a persegui-la, dia e noite. A partir desse momento, o seu relacionamento com o pai modificou-se. Ora irritadiça, agredia-o, ora o amava perdidamente; tinha crises de choro sem motivo. Quando seu pai comia em casa, engasgava com muita facilidade à mesa e esses acessos terminavam com sufocações que em geral a deixavam um a dois dias sem voz. Isso durante algum tempo. Ao receber a notícia da morte do pai, foi acometida de uma dor estranha, que culminava em crises histéricas de riso. Mas, pouco tempo depois, acalmou-se e seu estado ia melhorando rapidamente; os sintomas neuróticos desapareceram quase por completo. Uma névoa de esquecimento pousou sobre o passado. O incidente com o italiano era o único que ainda remexia coisas que a amedrontavam. Naquela ocasião, separara-se bruscamente do rapaz. Casou-se alguns anos depois. Só depois do segundo filho é que começou a neurose, isto é, no momento em que descobriu no marido um interesse carinhoso por outra mulher.

46 Nessa história há muito a perguntar. Por exemplo, onde fica a mãe nisso tudo? O que se sabe é que a mãe era muito nervosa e tinha passado por todos os sanatórios e tratamentos possíveis e imagináveis; também sofria de asma nervosa e de sintomas de medo. Pelo que a paciente se lembrava, o casal vivera muito distante um do outro. A mãe não compreendia o pai. A paciente tinha sempre a impressão de compreendê-lo bem melhor. Era nitidamente a preferida do pai; em contrapartida, sentia bastante frieza em relação à mãe.

47 Essas indicações deveriam ser suficientes para se ter uma ideia da evolução da doença. Por trás dos sintomas apresentados estão as fantasias que, à primeira vista, se associam ao episódio do italiano, mas que, no mais, se referem claramente ao pai. Este, devido ao casamento infeliz, deu prematuramente à filha o ensejo de conquistar um lugar que normalmente deveria ter sido preenchido pela mãe. Atrás dessa conquista esconde-se evidentemente a fantasia de ser a mulher ideal para o pai. Os primeiros sintomas da neurose aparecem no momento em que a fantasia sofreu um forte abalo; provavelmente, o mesmo abalo sofrido pela mãe (mas ignorado pela filha). É fácil compreender os sintomas como expressão de amor frustrado e rejeitado. O engasgamento vem daquela sensação de aperto na garganta, conhecido fenômeno que em geral acompanha as aflições intensas, aquelas que não conseguimos "engolir" totalmente. (Como é sabido, as metáforas de linguagem referem-se frequentemente a fatos fisiológicos desse tipo.) Por ocasião da morte do pai, seu consciente ficou muito triste, mas sua sombra ria; exatamente como Till Eulenspiegel, que se aborrecia quando o caminho o levava monte abaixo, mas se animava todo na subida, por mais íngreme que fosse, sempre na expectativa do que estava por acontecer. Quando o pai estava em casa, sentia-se aborrecida e doente; cada vez que ele viajava, sentia-se melhor, tal como acontece aos incontáveis esposos e esposas que ainda guardam bem guardado o doce segredo de que já não são mais tão indispensáveis um ao outro.

48 Prova de que o inconsciente tinha certa razão de estar risonho foi o período de plena saúde que veio logo após. Conseguiu fazer com que todo o seu passado submergisse. Só o episódio do italiano ameaçava trazer à tona o seu mundo abismal. Mas, num gesto rápido, bateu a porta, mantendo sua saúde em bom estado, até que o dragão da neurose

Psicologia do inconsciente

chegou, sorrateiramente, quando ela se considerava fora de perigo, naquele estado, por assim dizer, de plenitude, de esposa e mãe.

A psicologia sexual diz que a origem da neurose está no fato de, no fundo, a doente ainda não estar desligada do pai. É o motivo por que lhe volta à memória o momento em que descobriu no italiano o mesmo olhar estranho que tão profundamente a impressionara no pai. Essas lembranças foram reavivadas quando de uma experiência análoga com o marido, constituindo o estopim da neurose. Por isso se poderia dizer que o conteúdo, o motivo da neurose é o conflito entre a fantasia da relação erótico-infantil com o pai e o amor do esposo.

No entanto, se observarmos o mesmo quadro patológico do ponto de vista do "outro" impulso, isto é, do impulso da vontade de poder, a coisa muda completamente de figura: a precariedade da situação conjugal dos pais era uma excelente oportunidade para o instinto de poder infantil. Ora, o impulso de poder exige que o eu fique "por cima", isto é, domine de qualquer maneira. A "integridade da personalidade" tem que ser preservada custe o que custar. Toda e qualquer tentativa do meio no sentido de obter uma submissão do sujeito, por mais tênue que seja, é respondida por um "protesto masculino", na expressão de Adler. A decepção da mãe e sua fuga para a neurose proporcionaram, portanto, uma oportunidade única para o desdobramento do poder e para que ela ficasse por cima. O amor e o comportamento irrepreensível são armas extremamente adequadas para se alcançar a meta, do ponto de vista do impulso de poder. A virtude, não raro, serve para *forçar* o reconhecimento dos outros. Desde criança, ela soube angariar os favores do pai, por um comportamento particularmente solícito e afável, e colocar a mãe a seus pés. Não foi por amor ao pai; o amor só foi usado como meio de se impor. O acesso de riso que teve quando o pai morreu é uma prova eloquente do que acabamos de dizer. Tendemos a repelir esse tipo de explicação por acharmos que desvirtua o amor ou por considerá-la uma insinuação de má-fé; mas, convenhamos: reflitamos um pouco e olhemos o mundo tal como é. Então, nunca vimos as incontáveis pessoas que amam e acreditam no seu amor só enquanto não atingiram o seu objetivo, e que depois lhe viram as costas como se nunca tivessem amado? E, afinal, será que a natureza também não age assim? Será que pode existir um amor sem finalidade? Se existir um amor assim, pertencerá às mais altas virtudes, e estas são, fatalmente, bem raras. Além disso, talvez seja uma tendência nossa não pensar muito na finalidade do amor, porque, se o fizéssemos, poderíamos descobrir coisas que lançariam uma luz não muito lisonjeira sobre o nosso amor e seu valor.

51 Recapitulemos: a paciente teve um ataque de riso quando o pai morreu; logo, estava definitivamente por cima. Tratava-se de um riso histérico, sintoma psicógeno, produzido por motivos inconscientes e não pelo eu consciente. Não devemos subestimar esta diferença, que permite ver igualmente onde e como se criam certas virtudes humanas. A contrapartida delas foi para o inferno, ou, em palavras mais atuais, para o inconsciente, onde há muito se acumulam os opostos das nossas virtudes conscientes. Assim, por pura virtude, nada queremos saber do inconsciente. Aliás, o cúmulo da prudência virtuosa é afirmar que o inconsciente não existe. Mas, infelizmente, acontece conosco o mesmo que com o Irmão Medardo em *Os elixires do Diabo*, de Hoffmann: temos em algum lugar um irmão tenebroso e pavoroso, ou seja, o nosso contrário em pessoa, ligado a nós pelo sangue, que conserva tudo e maldosamente armazena o que gostaríamos que desaparecesse da nossa frente.

52 A nossa paciente teve o primeiro surto de neurose no momento em que percebeu que havia algo no pai que lhe escapava ao controle. Fez-se uma grande luz: de repente, viu para que servia a neurose da mãe. Quando topamos com algo que não conseguimos submeter pela razão ou pelo charme, existe um mecanismo, até então desconhecido para ela e que a mãe já havia descoberto: a neurose. Donde a imitação da neurose da mãe. Pois é, mas para que serve a neurose? – perguntaremos, admirados. Qual a sua finalidade? Alguém que já conviveu com uma pessoa declaradamente neurótica sabe perfeitamente bem quanto se "consegue" através da neurose. Não há meio mais eficaz de tiranizar toda a casa. O efeito obtido por problemas de coração, acessos de asfixia, convulsões de todo tipo, é enorme e quase infalível. Desencadeia ondas de compaixão, ansiedades sublimes dos pais sinceramente preocupados, um corre-corre de criados, telefonemas, médicos chamados com urgência, diagnósticos difíceis, exames minuciosos, despesas consideráveis; e no meio de toda essa agitação o inocente sofredor, a quem se agradece calorosamente quando cessam os "espasmos".

Psicologia do inconsciente 51

A menina descobriu essa "manobra" infalível (para usar o 53
termo adleriano) e passou a empregá-la com êxito cada vez que
o pai estava por perto. Quando o pai morreu, pôde dispensá-la,
pois estava definitivamente por cima. O italiano foi descartado
imediatamente quando quis acentuar a feminilidade dela através
da oportuna satisfação de sua masculinidade. Depois surgiu a proposta de um casamento conveniente. Amou e conformou-se, sem
queixas, ao papel de esposa e mãe. Enquanto se impunha e era
admirada, tudo correu às mil maravilhas. Mas, assim que o marido
demonstrou um ligeiro interesse extraconjugal, teve que recorrer
de novo àquela antiga "manobra" eficientíssima, isto é, ao uso
indireto da violência; deparara de novo, dessa vez no marido, com
aquilo que no pai já lhe fugira ao controle.

Do ponto de vista da psicologia do poder, a coisa é vista dessa 54
forma. Temo que o leitor possa vir a ter uma reação semelhante à
daquele cádi que, ouvindo o procurador de uma das partes, disse:
"Falaste bem, vejo que tens razão". Depois, falou o procurador da
outra parte. O cádi, coçando a cabeça, disse: "Falaste bem, vejo
que tu também tens razão". O papel desempenhado pelo impulso
de poder é excepcional – isto é, incontestável. É verdade que os
complexos de sintomas neuróticos também são "manobras" sutis
que vão inexoravelmente ao encalço dos seus fins com uma incrível tenacidade e uma esperteza sem igual. A neurose é orientada
para um fim. O grande mérito de Adler foi ter provado isso.

Mas qual dos dois pontos de vista, afinal, é o verdadeiro? Esta 55
pergunta poderia criar confusão na cabeça da gente. Não podemos
simplesmente sobrepor essas duas explicações, pois são absolutamente contraditórias. Num dos casos, Eros e seu destino são a
realidade suprema e decisiva; no outro, é o poder do eu. No primeiro caso, o eu não passa de uma espécie de apêndice do Eros;
no segundo, o amor não passa de um meio para se atingir a meta,
que é dominar. Quem valoriza o poder do eu revolta-se contra a
primeira concepção, mas quem dá importância a Eros nunca há de
reconciliar-se com a segunda.

IV
O problema dos tipos de atitude

56 Como as duas teorias descritas nos capítulos anteriores são inconciliáveis, é preciso encontrar um ponto de vista acima delas, em que a unificação seja possível. Não podemos condenar uma simplesmente para favorecer a outra, por mais cômoda que seja essa solução; porque, quando as duas teorias são examinadas sem parcialidade, não se pode negar que ambas contêm verdades fundamentais. Por mais contraditórias que sejam, uma não exclui a outra. A teoria freudiana nos seduz por sua simplicidade, a tal ponto que quase nos causa lástima ao ser atacada por uma afirmação em contrário. O mesmo vale para a teoria de Adler, que também é de uma simplicidade luminosa e convence tanto quanto a de Freud. Não surpreende, pois, que os adeptos de ambas as escolas se aferrem intransigentemente às suas respectivas teorias – certas, porém unilaterais. É humano e compreensível que não estejam dispostos a renunciar a uma teoria belíssima e perfeita, trocando-a por um paradoxo ou, o que é pior ainda, perdendo-se na confusão de pontos de vista contraditórios.

57 Como ambas as teorias são amplamente certas e, ao que parece, explicam a matéria, é óbvio que a neurose deve ter dois aspectos contraditórios, um dos quais é apreendido pela teoria de Freud e o outro, pela de Adler. Como é que um cientista só vê um lado e um outro só o outro? Por que cada um pensa que a sua posição é a única válida? Provavelmente porque ambos veem na neurose antes de tudo aquilo que corresponde à sua característica pessoal. É pouco provável que os casos de neurose que Adler chegou a analisar tenham sido inteiramente diversos dos que Freud conhecia. É lógico que ambos tenham partido de um mesmo material de experiência. Mas, como a peculiaridade

Psicologia do inconsciente 53

de cada um faz enxergar as coisas de maneira diferente, desenvolvem opiniões e teorias totalmente diversas. Adler vê como um sujeito que se sente inferior e derrotado procura aceder a uma superioridade ilusória, mediante "protestos", "manobras" e outros estratagemas adequados, indiscriminadamente, contra pais, educadores, superiores, autoridades, situações, instituições ou seja lá o que for. Até a sexualidade figura entre os estratagemas. Esta concepção está baseada numa *supervalorização do sujeito*, em face do qual as características e a significação dos objetos desaparecem por completo. Estes são considerados, no máximo, como portadores de tendências repressivas. Creio não estar equivocado na minha suposição de que a relação amorosa e outros anseios que visam objetos também sejam considerados por Adler como dimensões essenciais. Em sua teoria da neurose, porém, não lhes é atribuído o papel principal, como na de Freud.

Freud vê seu paciente constantemente *na dependência de* e *relacionado com objetos* importantes. Pai e mãe exercem um papel 58 fundamental. Todas as influências ou condicionamentos que eventualmente ainda venham a ter importância na vida do paciente remontam, em causalidade direta, a essas potências primordiais. O conceito de transferência, ou, em outras palavras, a relação paciente/analista, é a *"pièce de résistance"* de sua teoria. Sempre se deseja um objeto especificamente qualificado, ou então se lhe opõe resistência, e isso invariavelmente de acordo com o modelo da relação com os pais, adquirido na primeira infância. O que brota do sujeito é essencialmente um desejo cego de prazer. Mas esse desejo sempre recebe a sua qualidade de objetos específicos. Para Freud, os objetos são de extrema importância e têm a quase exclusividade da *força determinante*, ao passo que o sujeito se torna surpreendentemente insignificante e, na realidade, não é mais do que uma fonte do desejo de prazer ou uma "morada do medo". Como já salientamos, Freud também conhece os "impulsos do eu"; mas esta expressão já basta para indicar que sua ideia do sujeito é diametralmente diversa da dimensão especial que cabe ao sujeito na concepção adleriana.

Sem dúvida, ambos os cientistas veem o sujeito em relação ao 59 objeto; mas que diferença no modo de ver essa relação! Em Adler, a ênfase é posta num sujeito que se afirma e procura manter sua superioridade sobre os objetos, sejam eles quais forem. Em Freud, ao contrário, a ênfase é posta inteiramente nos objetos, que, conforme suas características especiais, são proveitosos ou prejudiciais ao desejo de prazer do sujeito.

60 Esta disparidade não pode ser outra coisa senão uma *diferença de temperamento*, uma oposição entre dois tipos de espírito humano, num dos quais o efeito determinante provém preponderantemente do sujeito e no outro, do objeto. Uma posição mediana, que seria, digamos, a do senso comum, admitiria que a atuação humana é condicionada tanto pelo objeto quanto pelo sujeito. Ambos os estudiosos argumentam que sua teoria não pretende ser uma explicação psicológica do homem normal, mas uma teoria da neurose. Sendo assim, Freud deveria explicar e tratar muitos dos seus casos pelo enfoque de Adler; este, por sua vez, deveria, em outros tantos casos, fazer sérias concessões aos pontos de vista defendidos por seu ex-professor. O que, no entanto, não foi o que se deu, nem com um nem com o outro.

61 Observando o dilema, eu me pergunto: será que existem pelo menos dois tipos diferentes de pessoas, um dos quais se interessa mais pelo objeto e o outro por si mesmo? E podemos dar-nos por satisfeitos com a explicação de que um deles só vê um lado e o outro só o outro e que por isso os resultados são diametralmente diferentes? Como já dissemos, seria absurdo admitir que o destino faça uma escolha tão sutil dos pacientes que cada grupo caia nas mãos do médico que lhe convém. Há muito tempo venho percebendo, tanto no que me diz respeito quanto em relação a meus colegas, que tratamos com relativa facilidade de certos casos, ao passo que em outros não há meio de acertar. É de importância capital para o tratamento o fato de que se estabeleça ou não uma boa relação entre o médico e o paciente. Caso não se crie um relacionamento natural e de confiança dentro de um curto espaço de tempo, é melhor que o paciente escolha outro médico. Também nunca me envergonhei de recomendar a outro colega um paciente cujo tipo não se entrosasse com o meu ou me fosse antipático. Isto no próprio interesse do paciente, pois num caso assim estou certo de que o meu trabalho não seria bem feito. Todos temos as nossas limitações pessoais. Principalmente como terapeutas que somos, sempre é bom ter isso em

mente. Diferenças pessoais muito grandes ou incompatibilidades geram resistências exageradas e supérfluas, que nem são justificadas. Na realidade, a controvérsia Freud/Adler não passa de um simples paradigma, um caso entre os muitos tipos de atitude possíveis. Essa questão constituiu minha grande preocupação durante muito tempo. Finalmente, fundamentado em muitas observações e experiências, cheguei a apresentar dois tipos básicos de comportamento ou de atitude, ou seja, a *introversão* e a *extroversão*. A primeira atitude, quando normal, é caracterizada por um ser hesitante, reflexivo, retraído, que não se abre com facilidade, que se assusta com os objetos e sempre está um pouco na defensiva, gostando de se proteger por trás do escudo de uma observação desconfiada. A segunda, quando normal, é caracterizada por um ser afável, aparentemente aberto, de boa vontade, que se adapta bem a qualquer situação, se relaciona facilmente com as pessoas e, não raro, se lança despreocupado e confiante em situações desconhecidas sem levar em conta a eventualidade de certos riscos. É evidente que no primeiro caso é o sujeito quem decide e no segundo o objeto.

Naturalmente, esses traços não passam de um esboço rudimentar dos dois tipos[1]. Empiricamente, essas duas atitudes raramente são observadas em seu estado puro. Mais adiante voltarei ao assunto. Muitas vezes não é fácil determinar o tipo, porque há inúmeras variações e possibilidades de compensação. Além das oscilações individuais, as variações podem ser determinadas pela predominância de uma das funções da consciência, como o pensamento ou o sentimento, o que imprime um caráter especial na atitude básica. As frequentes compensações que o tipo básico apresenta provêm em geral dos ensinamentos da vida: aprendemos, às vezes depois de muito sofrer, que nem sempre podemos soltar as rédeas do nosso ser. Em outros casos, nos indivíduos neuróticos, por exemplo, muitas vezes não se sabe se estamos diante de uma atitude consciente ou inconsciente, uma vez que, devido à dissociação da personalidade, ora aparece uma metade, ora outra, confundindo o nosso julgamento. Por essa mesma razão, é tão difícil conviver com pessoas neuróticas.

---

1. O problema dos tipos foi elaborado no meu livro *Psychologische Typen* [OC 6].

64   As enormes diferenças entre os tipos, efetivamente existentes (descrevi oito grupos distintos no livro que acabo de citar)[2] possibilitaram-me a compreensão das duas teorias controvertidas sobre a neurose como manifestações de tipos antagônicos.

65   Essa constatação redundou na necessidade de nos colocarmos acima das posições antagônicas, criando uma teoria que fosse justa, não para com uma ou com a outra, mas para com as duas igualmente. Logo, é indispensável fazer a crítica de ambas as teorias apresentadas. Essas teorias, quando aplicadas a ideais exaltados, atitudes heroicas, dramaticidade ou uma convicção profunda, são apropriadas para, através de um longo processo, trazê-los de volta à realidade banal do dia a dia. No entanto, elas não deveriam ser aplicadas a tais coisas, porque as duas teorias são instrumentos pertencentes ao equipamento terapêutico, bisturis impiedosos e afiados usados pelo médico para extrair a parte doente e nociva do corpo do paciente. Nietzsche, com sua crítica destrutiva dos ideais, pretendia fazer o mesmo, pois os considerava como excrescências doentias da alma da humanidade (há casos em que isso realmente é verdade): nas mãos de um médico habilidoso, de um verdadeiro conhecedor da alma humana, que tenha o "sentido das nuanças" (para empregar a expressão de Nietzsche), e aplicadas ao que está realmente doente numa alma, ambas as teorias são corrosivos salutares, quando usadas em dosagens apropriadas a cada caso. Tornam-se prejudiciais e perigosas em mãos inaptas para medir e avaliar. São métodos críticos e têm em comum com a crítica em geral o fato de serem bons onde algo deve e precisa ser destruído, dissolvido e reduzido, mas só produzirão dano onde for necessário construir.

66   Poderíamos deixar passar essas teorias sem alardear a respeito, visto que, como venenos medicinais, são confiadas às mãos seguras do médico. A utilização proveitosa desses corrosivos requer um conhecimento excepcional da alma. É indispensável saber distinguir o doentio e inútil do que tem valor e precisa ser conservado.

---

2. Não abrange, evidentemente, todos os tipos existentes. Outros critérios de diferenciação são: idade, sexo, atividade, emocionalidade e nível de desenvolvimento. Fundamento a minha caracterização dos tipos nas quatro funções de orientação da consciência: sentimento, pensamento, sensação e intuição. Cf. *Psychologische Typen*. *Op. cit.*, p. 467s. [OC 6, § 642s.].

Psicologia do inconsciente 57

Isto simplesmente pertence ao rol das coisas mais difíceis. Quem quiser sofrer o impacto de uma leitura acerca dos enganos que podem ser cometidos por um médico "psicologizante" irresponsável que se baseie em preconceitos baratos e pseudocientíficos, que estude o trabalho de Moebius[3] sobre Nietzsche, ou então os diversos tratados "psiquiátricos" sobre o "caso" de Cristo. Certamente tal pessoa exclamaria conosco: coitado do paciente que for "compreendido" dessa maneira!

As duas teorias da neurose não são gerais, mas sim "remédios 67 de uso tópico", dissolventes e redutivos. "Você não passa de..." – só sabem dizer isso. Explicam ao doente que os seus sintomas vêm daqui ou dali, não passam disso ou daquilo. Seria injusto afirmar que a redução não seja eficaz em certos casos. Mas promover a *teoria redutiva* a uma teoria global da essência, tanto da alma doente como da sadia, simplesmente não tem cabimento. Pois a alma humana, seja doente ou sã, não pode ser esclarecida *apenas* redutivamente. Não há dúvida de que Eros está sempre presente, sempre e em toda parte. Não há dúvida de que o impulso de poder penetra no que há de mais sublime e mais real na alma humana. *Mas a alma não é só isso ou aquilo, ou, se preferirem, isso e aquilo, mas também tudo o que ela já fez e ainda vai fazer com isso.* Uma pessoa só foi compreendida pela metade quando se sabe a proveniência de tudo o que aconteceu com ela. Se fosse só isso, pouco importaria se já houvesse morrido há muito tempo. Como ser vivo, ela não foi compreendida, porque a vida não é só ontem nem fica explicada quando se reduz o hoje ao ontem. A vida também é amanhã; só compreendemos o hoje se pudermos acrescentá-lo àquilo que foi ontem e ao começo daquilo que será amanhã. Todas as manifestações psicológicas da vida são assim, inclusive os sintomas doentios. Pois os sintomas neuróticos não são efeitos de causas passadas, ou seja, da "sexualidade infantil" ou do "impulso de poder infantil", mas também tentativas de uma nova síntese de vida. Tentativas frustradas, não resta dúvida, mas que nem por isso deixam de ser tentativas, com um germe de valor e sentido. São embriões abortivos devido a condições desfavoráveis de natureza interna e externa.

---

3. MOEBIUS, P.J. *Über das Pathologische bei Nietzsche*, 1902.

68 O leitor perguntará, com certeza: diga-me, pelo amor de Deus, que valor e que sentido pode ter uma neurose, esse flagelo inútil e repugnante da humanidade! Ser nervoso – de que serve isso? Ora, provavelmente para as mesmas razões por que Deus criou as moscas e as demais pragas: para que o homem se exercite na virtude da paciência. Por mais tolo que seja esse pensamento do ponto de vista da ciência, ele é sábio do ponto de vista da psicologia. É só substituir "pragas" por "sintomas nervosos". Até Nietzsche, com seu desmedido desdém por tolices e banalidades, reconheceu mais de uma vez tudo quanto devia à sua doença. Já vi mais de uma pessoa cuja vida só teve utilidade e sentido graças a uma neurose, que a impedia de cometer todas as asneiras decisivas da vida, *obrigando-a* a levar uma existência que desenvolvesse seus germes preciosos, que teriam sido sufocados caso a neurose, com mãos de ferro, não a tivesse colocado em seu devido lugar. Pois bem, há pessoas cujo sentido e significado da vida jaz no inconsciente, sendo seu consciente só transvios e descaminhos. Em outras pessoas se dá o contrário; sua neurose também tem outro significado. Neste caso, uma ampla redução é indicada, mas não no outro.

69 O leitor admitirá que em certos casos a neurose possa ter um sentido positivo, mas continuará negando que em todos os pequenos casos corriqueiros e banais possa ter uma finalidade de tão grande alcance e sentido. Perguntará, por exemplo, qual o valor da neurose no caso anteriormente descrito de asma e estados histéricos de pavor. Concordo: neste caso, seu valor não é evidente, principalmente quando considerado do ponto de vista de uma teoria redutiva, isto é, do lado sombrio de um desenvolvimento individual.

70 Como vemos, ambas as teorias de que falamos têm em comum o fato de desvendarem impiedosamente o lado sombrio do homem. São teorias, ou melhor, hipóteses que nos explicam em que consiste o fator que provocou a doença. Logo, tratam não dos *valores* de uma pessoa, mas dos seus *desvalores*, que sempre perturbam ao se manifestarem.

71 Um "valor" é uma possibilidade através da qual a energia pode chegar a desenvolver-se. No entanto, na medida em que um desvalor também é uma possibilidade de desenvolvimento da energia – e que se observa nitidamente na considerável energia inerente às manifestações neuróticas – *também pode ser considerado um valor*, mas um valor que proporciona manifestações prejudiciais e inúteis de energia.

Psicologia do inconsciente 59

A bem dizer, a energia em si não é boa nem má, nem útil nem prejudicial, mas neutra, posto que tudo depende da *forma* como a energia é aplicada. A forma é que dá qualidade à energia. Mas, por outro lado, a forma sem a energia também é neutra. Para que se produza um valor verdadeiro, é indispensável que haja energia, de um lado, e, do outro, o valor da forma. Na neurose há energia psíquica[4], sem dúvida, mas numa forma inferior e não aproveitável. *As concepções das duas teorias redutivas só servem para dissolver essa forma inferior.* Neste ponto, agem como corrosivos. Assim, obtemos energia livre, mas neutra. Até hoje predominava a ideia de que essa energia recém-obtida ficava à disposição do consciente do enfermo, podendo ser por ele empregada do modo que lhe aprouvesse. Enquanto se considerava a energia como mera força do impulso sexual, falava-se em "sublimação" e utilização dela. Supunha-se que, com a ajuda da análise, o paciente fosse capaz de sublimá-la, isto é, de usá-la, não para exercer a sexualidade, mas para o exercício de uma arte ou outra atividade qualquer que fosse boa ou útil. Segundo este ponto de vista, o paciente tem a possibilidade de realizar a sublimação das suas forças impulsivas de acordo com a sua vontade e a sua tendência.

Até certo ponto tal opinião tem sua razão de ser, na medida em que o homem tem condições de imprimir uma diretriz específica e determinada à sua vida. Sabemos, no entanto, que não existe previsão humana ou filosofia de vida capaz de predeterminar o rumo da nossa vida, a não ser a curto prazo. Isto é válido apenas para o tipo de vida "comum", não para o tipo "heroico". Este último modo de vida também existe, mas é incontestavelmente mais raro do que o primeiro. E a ele não se aplica a afirmação que acabamos de fazer a respeito de se imprimir a curto prazo um rumo definido à vida. O rumo da vida heroica é *incondicional*: são as decisões do destino que a orientam; pode ser que a resolução de seguir uma determinada direção se mantenha inabalável até o amargo fim. Mas, em geral, o médico só trata de pessoas humanas; raramente, de heróis voluntários. Nos casos de heroísmo, trata-se em geral de um suposto heroísmo, que não passa de obstinação infantil contra um destino mais forte, ou

72

---

4. Recomendo a leitura do meu livro *Über psychische Energetik und das Wesen der Träume.* Zurique: Rascher, 1948 (vol. II da série Psychologische Abhandlungen) [OC 8].

então de uma atitude presunçosa para encobrir um sentimento de inferioridade. No poderoso dia a dia, há infelizmente pouco lugar para coisas fora dos padrões que sejam sadias. Há pouco lugar para o heroísmo ostensivo. Não que o desafio do heroísmo nunca bata à nossa porta. Muito pelo contrário! Enfrentar a vida cotidiana, com todas as suas exigências banais de dedicação, paciência, perseverança e sacrifícios, humildemente, sem visar o aplauso, sem grandes gestos heroicos – este é o nosso heroísmo cotidiano, invisível para os outros. Maçantes, enfadonhas exigências, que, quando não acolhidas, produzem neurose. Para escapar a elas, muitos já ousaram tomar a grande decisão da sua vida e levá-la a cabo sem se importar com a opinião alheia. Diante de um destino assim, só nos resta inclinarmo-nos. Mas, como dissemos, esses casos são raros; os outros constituem a grande maioria. O rumo dessas vidas não obedece a uma linha simples e bem traçada. O destino abre-se diante delas, confuso e com uma profusão de possibilidades. E, no entanto, só uma dessas possibilidades é a sua, o caminho certo. Quem se atreveria – por mais que conhecesse seu próprio caráter – a determinar de antemão essa *única* via possível? Com força de vontade pode-se conseguir muita coisa, não resta a menor dúvida. Mas, considerando o destino de certas personalidades dotadas de grande força de vontade, é um erro fundamental querer submeter seu próprio destino à sua vontade, a qualquer preço. Nossa vontade é uma função dirigida pela *reflexão*; logo, ela depende da qualidade da nossa reflexão. A reflexão – a verdadeira reflexão – tem que ser *racional*, isto é, sensata. Mas já foi provado, ou será possível provar algum dia, que vida e destino concordam com a nossa razão humana ou são racionais? Pelo contrário, temos base para suspeitar que são irracionais ou, em última análise, que têm um fundamento que transcende a razão humana. A irracionalidade dos acontecimentos revela-se no que chamamos de *acaso*. Temos que negá-lo, evidentemente, porque não podemos pensar "*a priori*" em processo algum que não seja causal e necessariamente condicionado; logo, não pode ser também casual[5]. Mas na prática o acaso sempre existe; aliás,

---

5. A física moderna pôs fim a essa causalidade estrita. Só ficou a "probabilidade estatística". Em 1916 eu já apontara a condicionalidade da interpretação causal na psicologia, o que na época foi mal recebido. Cf. *Collected papers on analytical psychology*. 2. ed. [s.l.]: [s.e.], 1920, p. X e XV.

Psicologia do inconsciente 61

de uma forma tão insistente que poderíamos tranquilamente dispensar a nossa filosofia causal. *A plenitude da vida tem normas e não as tem, é racional e irracional.* Por isso a razão e a vontade fundada na razão só têm validade em pequenos espaços da vida. Podemos estar certos de uma coisa: quanto mais prolongarmos o rumo escolhido pela razão, tanto mais excluiremos a possibilidade de viver a vida irracional, que, no entanto, tem o mesmo direito de ser vivida. O fato de o homem ter chegado à condição de imprimir rumo à vida foi de inegável utilidade. Podemos afirmar, e com toda razão, que a maior vitória da humanidade foi a conquista da racionalidade. No entanto, não queremos dizer que isso deva continuar ou continue sempre assim, aconteça o que acontecer. A terrível catástrofe da Primeira Guerra Mundial veio frustrar por completo o mais otimista dos racionalistas culturais. Em 1913, Ostwald escrevia as seguintes palavras: "O mundo inteiro concorda que o estado atual de paz armada é insustentável e que, pouco a pouco, a situação se tornará impossível. Está exigindo sacrifícios imensos de cada nação, que ultrapassam de longe as despesas destinadas a fins culturais e não acedem a quaisquer valores positivos. Se a humanidade encontrasse meios e caminhos de eliminar esses preparativos de guerras *que nunca sobrevêm*, essa imobilização de considerável parcela da nação na faixa de idade mais vigorosa e produtiva para fins de treinamento de guerra e os inúmeros prejuízos decorrentes do atual estado de coisas, seria possível obter uma economia de energias de tais proporções que, a partir daí, promoveria um florescimento imprevisível do desenvolvimento cultural. Pois a guerra é semelhante à luta pessoal para solucionar as contradições de vontades diferentes: o mais antigo de todos os recursos possíveis e, por isso mesmo, o mais inútil, o que acarreta o mais grave desperdício de energia. A total eliminação tanto da guerra potencial como da guerra real é inteiramente conforme ao espírito do imperativo energético, e é um dos mais importantes desafios à cultura dos nossos dias"[6].

Mas a irracionalidade do destino não quis o mesmo que a racionalidade dos pensadores bem-intencionados. Quis muito mais do que a simples utilização dos soldados e das armas armazenadas: quis uma destruição monstruosa, tresloucada, uma chacina em massa, sem

73

---

6. OSTWALD, W. *Die Philosophie der Werte.* [s.l.]: [s.e.], 1913, p. 312s.

precedentes, para que a humanidade eventualmente entendesse que a intenção racional só consegue dominar um dos lados do destino.

74   O que se diz da humanidade em geral também se aplica a cada indivíduo em particular, pois a humanidade é formada por um conjunto de indivíduos. A psicologia da humanidade corresponde à psicologia individual. A Guerra Mundial foi um terrível ajuste de contas com a intencionalidade racional da civilização. O que chamamos de "vontade" no indivíduo chama-se "imperialismo" nas nações, pois a vontade é a expressão do poder sobre o destino, isto é, a exclusão do acaso. Civilização é sublimação racional e "utilitária" de energias livres, produzida voluntária e intencionalmente. No indivíduo dá-se o mesmo. Da mesma forma que a ideia de uma organização da cultura universal sofreu uma cruel advertência com esta guerra, assim o indivíduo também precisa aprender várias vezes em sua vida que as chamadas energias "disponíveis" não são disponíveis a seu bel-prazer.

75   Nos Estados Unidos um empresário de uns 45 anos foi consultar-me. Seu caso ilustra muito bem o que acabei de dizer. Tratava-se de um típico "*self-made man*" americano, que tinha começado do nada e subira na vida por esforço próprio. Tinha sido muito bem-sucedido em seus empreendimentos e fundara uma empresa gigantesca. Pouco a pouco conseguira organizá-la de tal forma que lhe foi possível afastar-se de sua direção. Dois anos antes de me ver, havia se afastado da firma. Até então vivera exclusivamente para os negócios, concentrando nisso todas as suas energias, com a incrível intensidade e unilateralidade características de um empresário americano bem-sucedido. Havia comprado uma fazenda maravilhosa, onde tencionava "viver". Para ele "viver" significava cavalos, automóveis, golfe, tênis, festas etc. Mas fizera a conta sem o dono do restaurante. A energia em "disponibilidade" nada tinha a ver com essas perspectivas convidativas: encasquetou com algo bem diferente. Ao cabo de algumas semanas dessa vida nababesca, tão ardentemente desejada, começou a perscrutar obsessivamente estranhas e vagas sensações do corpo; algumas semanas mais bastaram para precipitá-lo numa hipocondria incrível. Teve um colapso nervoso total. O homem sadio, que tinha uma força física incomum e uma extraordinária energia, transformou-se numa criança chorona. E com isso acabou-se toda a sua glória. Tinha um medo atrás do outro e as obsessões hipocondríacas torturavam-no mortalmente.

Foi consultar um famoso especialista, que logo reconheceu que o que faltava ao homem era trabalho. O paciente concordou e retomou seu lugar na empresa. Mas, para seu grande desespero, não conseguiu mais sentir nenhum interesse pelos negócios. Nada ajudou: nem paciência, nem resolução. Por mais que fizesse, não conseguiu canalizar a energia de volta para os negócios. Como era de esperar, o seu estado agravou-se mais ainda. Tudo o que antes era energia viva e produtiva, voltou-se contra ele, violenta e destrutivamente. Houve como que uma revolta de seu gênio criador contra ele mesmo. Assim como criara antes grandes organizações no mundo, agora seu demônio criava requintados sistemas e mecanismos hipocondríacos que o arrasavam. Quando o vi, já era uma ruína moral, sem esperanças. Em todo caso, tentei fazê-lo ver que é possível recolher a fabulosa energia como a que empregara no negócio, mas que a questão era: para onde canalizá-la? Pode acontecer que nem mesmo os mais belos cavalos, os carros mais velozes e as festas mais divertidas sejam um atrativo para a energia. No entanto, era razoável pensar que uma pessoa que dedicara uma vida inteira a um trabalho sério tivesse um direito natural aos prazeres da vida. Sim, se o destino se comportasse de acordo com o bom-senso humano, é assim que deveria ser: primeiro, o trabalho; depois, o descanso bem merecido. Mas na realidade as coisas que acontecem são irracionais. A energia tem o inconveniente de exigir um fluxo adequado para se produzir; caso contrário, fica represada e torna-se destrutiva. Regride a situações anteriores: no presente caso, à lembrança de uma infecção sifilítica que contraíra 25 anos antes. Mas isto também não passava de uma das etapas no caminho de reviver as reminiscências infantis, que nesse meio tempo se haviam praticamente esvaído. A sua primitiva relação com a mãe é que orientou sua sintomatologia. Tratava-se de um "mecanismo" para despertar a atenção e o interesse da mãe (há muito falecida). E esta não foi a última etapa, pois a meta era obrigá-lo a voltar ao próprio corpo, depois de ter vivido só com a cabeça desde a juventude. Um dos lados do seu ser se diferenciara, deixando o outro retido num estado de torpor corporal. Precisava desse outro lado para poder "viver". A "depressão" hipocondríaca forçava-o, por assim dizer, a tomar conhecimento do corpo, que sempre havia ignorado. Se ele tivesse tido condições de entender o sentido da depressão e da ilusão hipocondríaca e de conscientizar-se das fantasias resultantes de um tal estado, teria sido a salvação. Naturalmente, não fui correspondido no amor pelos meus argumentos, como era de se esperar. O caso estava avançado demais para que se pudesse contar com uma perspectiva de cura. Só lhe restava continuar o tratamento até a morte.

76   Este caso mostra claramente que não está em nossas mãos encaminhar uma energia "disponível", à vontade, para um objeto de nossa escolha. Com as energias aparentemente disponíveis, obtidas após a destruição das suas formas inaproveitáveis pelos corrosivos da redução, dá-se em geral exatamente o mesmo. Como já dissemos, no melhor dos casos essa energia pode ser utilizada da forma que a vontade determina, mas só por um curto espaço de tempo. Quase sempre ela se recusa a seguir as possibilidades racionalmente propostas pelo tempo afora. A energia psicológica tem o capricho de querer satisfazer suas próprias exigências. Por maior que seja a quantidade de energia existente, não podemos aproveitá-la enquanto não conseguirmos estabelecer um fluxo.

77   O problema do fluxo é uma questão eminentemente prática que se coloca na maioria das análises. Por exemplo, no caso propício de haver um encaminhamento da energia disponível, a chamada libido[7], para um objeto razoável, a nossa tendência é acreditar que a transformação foi operada por um esforço consciente da vontade. Mas nos enganamos redondamente. Nem com o maior esforço do mundo conseguiríamos isso, se já não houvesse simultaneamente um fluxo natural

---

7. O leitor deve ter percebido, pelo que ficou dito até agora, que eu utilizo o conceito de *libido* introduzido por Freud (e que se adapta muita bem à prática), num sentido bem mais amplo do que o seu. Libido significa energia psíquica, para mim, ou o mesmo que intensidade energética de conteúdos psíquicos. Freud identifica a libido com o Eros, concordando com o seu pressuposto teórico, e quer vê-la distinta de uma energia psíquica geral. Diz o seguinte: "Estabelecemos o conceito da libido como sendo uma força quantitativamente variável, que mediria processos e transformações no campo da excitação sexual. Diferenciamos essa libido da energia que deve estar na origem dos processos psíquicos em geral..." (*Gesammelte Schriften.* vol. 5, p. 92). Em outra parte Freud menciona que lhe falta "um termo análogo à libido" para o impulso de destruição. Como o referido impulso de destruição também é um fenômeno energético, parece-me mais simples definir a libido como um conceito geral de intensidades psíquicas, ou simplesmente como energia psíquica. Cf. *Symbole der Wandlung.* [s.l.]: [s.e.], 1952, p. 218s. [OC 5]; *Über psychische Energetik und das Wesen der Träume. Op. cit.*, p. 7s. [OC 8].

Psicologia do inconsciente 65

no mesmo sentido. A importância do fluxo é constatada quando, apesar dos mais desesperados esforços e de o objeto escolhido e a forma desejada serem os mais convincentes e sensatos possíveis, não se consegue operar a transformação, produzindo apenas uma nova repressão.

Estou mais do que convencido de que o caminho da vida só continua onde está o fluxo natural. Mas nenhuma energia é produzida onde não houver tensão entre contrários; por isso, é preciso encontrar o oposto da atitude consciente. É interessante verificar como essa compensação dos opostos também teve sua função na história da teoria da neurose: a teoria de Freud representa *Eros*; a de Adler, o *poder*. Pela lógica, o contrário do amor é o ódio; o contrário de Eros, *Phobos* (o medo). Mas, psicologicamente, é a vontade de poder. Onde impera o amor, não existe vontade de poder; e onde o poder tem precedência, aí falta o amor. Um é a sombra do outro. Quem se encontra do ponto de vista de Eros procura o contrário, que o compensa, na vontade de poder. Mas quem põe a tônica no poder, compensa-o com Eros. Visto do ponto de vista unilateral da atitude consciente, *a sombra é uma parte inferior da personalidade*. Por isso, é reprimida, devido a uma intensa resistência. Mas o que é reprimido tem que se tornar consciente para que se produza a tensão entre os contrários, sem o que a continuação do movimento é impossível. A consciência está em cima, digamos assim, e a sombra embaixo, e como o que está em cima sempre tende para baixo, e o quente para o frio, assim todo consciente procura, talvez sem perceber, o seu oposto inconsciente, sem o qual está condenado à estagnação, à obstrução ou à petrificação. É no oposto que se acende a chama da vida.

Foram concessões à lógica intelectual, por um lado, e ao preconceito psicológico, por outro, que levaram Freud a qualificar o contrário de Eros como impulso de destruição e morte. Ora, antes de mais nada, Eros não é sinônimo de vida. Mas quem pensa assim evidentemente acha que o seu contrário é a morte. Em segundo lugar, o oposto do seu princípio supremo é, para todo o mundo, aparentemente, o princípio de destruição, a morte, o mal pura e simplesmente. A pessoa não o julga capaz de uma força positiva de vida, por isso o teme e evita.

Como vimos, existem muitos princípios supremos de vida e de filosofia, com suas respectivas formas de contrários compensatórios. Já salientei dois tipos de contrários, que, a meu ver, são os principais.

Designei-os como *tipos introvertidos* e *extrovertidos*. William James[8] já havia notado a existência desses dois tipos entre os pensadores. Classificara-os em *"tender-minded"* e *"tough-minded"*. Ostwald[9] também propôs para os grandes sábios uma distinção análoga: o tipo clássico e o tipo romântico. Escolhi esses dois nomes entre muitos outros só para mostrar que não me encontro isolado nesta minha ideia dos tipos. Provei, com minhas pesquisas históricas, que um grande número de importantes questões e conflitos na história do espírito repousa na oposição desses dois tipos. A mais significativa dessas questões é a oposição entre *nominalismo* e *realismo*, que começou com a divergência entre as escolas platônica e megárica e foi herdada pela filosofia escolástica. Abelardo teve então o grande mérito de, pelo menos, tentar unificar os pontos de vista opostos no *conceitualismo*. Essa controvérsia continuou até nossos dias, manifestando-se na oposição entre idealismo e materialismo. Como na história do espírito em geral, assim também cada indivíduo participa por sua vez dessa oposição entre os tipos. Uma pesquisa mais cuidadosa revelou que os casamentos se fazem de preferência entre esses dois tipos, inconscientemente, para uma complementação recíproca. A natureza reflexiva do introvertido leva-o a refletir ou a meditar sempre antes de agir. Sua atuação é, evidentemente, mais lenta. Pela timidez e desconfiança diante dos objetos é levado a hesitar e sempre encontra dificuldades em adaptar-se ao mundo exterior. Inversamente, o extrovertido tem um relacionamento positivo com as coisas. Ele é, por assim dizer, atraído por elas. É tentado por situações novas e desconhecidas. Chega a se lançar de corpo e alma em coisas novas, só para conhecê-las. Em geral, age primeiro e só depois reflete. Sua ação é rápida, sem hesitações ou escrúpulos. Ambos os tipos são como que criados para uma simbiose. Um encarrega-se da reflexão; o outro, da iniciativa e da ação prática. Quando se casam, esses dois tipos podem formar um casal ideal. Enquanto estão totalmente absorvidos com a adaptação às inúmeras necessidades da vida, combinam maravilhosamente bem. Mas depois que o homem ganhou dinheiro suficiente ou quando

---

8. JAMES, W. *Pragmatism*. A new name for some old ways of thinking. Londres/ Nova York: [s.e.], 1911.

9. OSTWALD, W. *Grosse Männer*. 3. e 4. ed. Leipzig: [s.e.], 1910.

Psicologia do inconsciente

uma herança importante lhes cai do céu e faz cessar a necessidade externa, eles têm tempo para se preocupar um com o outro. Antes disso, voltavam as costas um para o outro e lutavam pela sobrevivência. Agora, porém, voltam-se um para o outro, querem entender-se e descobrem que nunca houve entendimento entre eles. Cada qual fala uma língua diferente. Assim se instala a briga entre os dois tipos. Briga violenta, cheia de veneno e de acusações depreciativas e recíprocas, mesmo quando recônditas e inconfessas; pois *o valor de um é desvalor do outro*. Seria razoável pensar que a consciência do próprio valor poderia bastar para reconhecer tranquilamente o valor do outro, tornando supérflua qualquer disputa. Vi grande número de pessoas argumentando assim, sem, no entanto, chegar a qualquer resultado satisfatório. Quando se trata de pessoas normais, esse tempo de transição é mais ou menos bem superado. *Normal* é a pessoa que simplesmente consegue viver, quaisquer que sejam as circunstâncias, contanto que lhe sejam garantidas as condições mínimas de vida. Mas muitos não o conseguem; por isso não existem muitas pessoas normais. O que comumente entendemos por "homem normal" é, na realidade, o homem ideal, portador de uma feliz mistura de caráter – o que é raríssimo. A grande maioria das pessoas mais ou menos diferenciadas requer condições de vida que lhes garantam algo mais do que simplesmente comer e dormir com relativa segurança. Para essas, o fim de uma relação simbiótica representa um abalo profundo.

Não é fácil entender por que deve ser assim. Considerando que nenhum ser humano é exclusivamente introvertido nem exclusivamente extrovertido, ambas as atitudes existem dentro dele, mas só uma delas foi desenvolvida como função de adaptação; logo, podemos supor que a extroversão cochila no fundo do introvertido, como uma larva, e vice-versa. Pois bem, é exatamente isso o que acontece. O introvertido tem em si uma parte extrovertida, inconsciente, porque os olhos de sua consciência estão sempre voltados para o sujeito. Aliás, ele vê o objeto, mas tem imagens errôneas ou inibitórias a respeito, de modo que sempre se mantém o mais distante possível, como se o objeto fosse algo poderoso e perigoso. Quero esclarecer, através de um exemplo, o que acabo de dizer: dois rapazes caminham juntos pelo campo. Chegam a um castelo maravilhoso. Ambos gostariam de ver o castelo por dentro.

O introvertido diz: "Gostaria de saber como é por dentro". O extrovertido, por sua vez, diz: "Vamos entrar"; e vai entrando pelo portão. O introvertido o detém: "Talvez seja proibida a entrada", imaginando vagamente uma série de represálias, como violências policiais, multas, cachorros brabos etc. Ao que o outro replica: "Podemos perguntar, na certa vão nos deixar entrar", imaginando velhos porteiros afáveis, castelões hospitaleiros e possíveis aventuras românticas. Graças ao otimismo do extrovertido, conseguem realmente entrar no castelo. Mas agora começa a peripécia. O castelo foi reformado por dentro. Só tem umas poucas salas, com uma coleção de velhos manuscritos. Por acaso, essa é a paixão do rapaz introvertido. Mal chega a vê-los, fica como que transformado, absorto na contemplação dos tesouros, suas palavras exprimindo entusiasmo. Envolve o guarda numa conversa, para obter mais informações. Como as respostas do guarda não o satisfazem, ele pergunta pelo conservador e sai imediatamente à sua procura, para continuar a investigação. Mas, enquanto isso, a animação do extrovertido vai diminuindo cada vez mais; vai ficando de cara comprida e começa a bocejar. Nada de porteiros afáveis, nada de hospitalidade cavalheiresca, nem sombra de aventuras românticas: apenas um castelo reformado. Não precisava ter saído de casa para ver manuscritos. Enquanto cresce o entusiasmo de um, vai acabando a disposição do outro; o castelo o aborrece, os manuscritos cheiram a biblioteca, a biblioteca faz com que se lembre da faculdade, a faculdade é associada a estudo, exames: uma ameaça. Pouco a pouco, um véu sombrio vai descendo sobre o castelo, antes tão interessante e atraente. O objeto fica negativo. "Não é formidável", exclama o introvertido, "descobrir essa coleção maravilhosa assim por acaso?" "Eu estou achando isso aqui muito sem graça", responde o outro, sem esconder o seu mau humor. Isso irrita o primeiro, que resolve para si mesmo: "Nunca mais vou viajar com esse sujeito!" O extrovertido, por sua vez, fica irritado com a irritação do companheiro, pensa que sempre achara o outro um perfeito egoísta, sem a menor consideração pelos outros. "Onde já se viu desperdiçar a linda primavera lá fora! Poderíamos estar aproveitando! E tudo por causa dessa curiosidade egoísta!"

Que foi que aconteceu? Ambos caminham juntos em alegre simbiose, até chegarem ao castelo fatal. Lá dizia o introvertido "pré--meditativo" (prometeico): "Poderíamos vê-lo por dentro". O extro-

Psicologia do inconsciente 69

vertido ativo e "pós-meditativo" (epimeteico) abriu o caminho[10]. *Nessa altura, o tipo se inverte*: o introvertido, que hesitava em entrar, não quer mais sair e o extrovertido amaldiçoa o momento em que entrou no castelo. O primeiro fica fascinado pelo *objeto*; o segundo, por seus pensamentos negativos. No instante em que o primeiro avistou os manuscritos, já estava perdido. Sua timidez desapareceu, o objeto tomou posse dele: entregou-se docilmente. Em compensação, o segundo sentiu uma resistência crescente em relação ao objeto e, finalmente, fez-se cativo do seu sujeito mal--humorado. O primeiro tornou-se extrovertido; o segundo, introvertido. Enquanto os dois caminhavam juntos na mais alegre harmonia, um não perturbava o outro, porque cada qual estava "na sua", naturalmente. Eram positivos um para o outro, porque as suas atitudes se complementavam. Mas complementavam-se porque a atitude de um sempre compreendia a do outro. A rápida conversa que tiveram é ilustrativa: ambos querem entrar no castelo. A dúvida do introvertido quanto à permissão para entrar também serve para o outro. A iniciativa tomada pelo extrovertido também é de utilidade para o introvertido. A atitude de um também inclui o outro, e isso é quase sempre assim quando um indivíduo está na atitude que lhe é natural, porque essa atitude se adapta coletivamente, por assim dizer. Com a atitude do introvertido também se dá o mesmo, apesar de que ela sempre parte do sujeito; vai sempre só do sujeito para o objeto, enquanto que a atitude do extrovertido vai do objeto para o sujeito.

Mas, assim como no introvertido o objeto sobrepuja o sujeito, atraindo-o, sua atitude perde o caráter social. Esquece-se da presença do amigo; não o inclui mais. Submerge no objeto e não vê quanto o amigo se aborrece. E vice-versa: o extrovertido perde a consideração para com o outro no momento em que sua expectativa não é satisfeita, retraindo-se em suas ideias e humores subjetivos. 83

Assim sendo, o acontecido pode ser formulado da seguinte maneira: por influência do objeto, apareceu uma *extroversão inferior* no introvertido, ao passo que uma *introversão inferior* substituiu a 84

---

10. Cf. meus comentários a respeito de *Prometeu e Epimeteu*, de Spitteler, em *Psychologische Typen. Op. cit.*, p. 227s. [OC 6, § 261s.].

atitude social do extrovertido. Dessa forma, voltamos à frase que nos serviu de ponto de partida: *o valor de um é o desvalor do outro.*

85 Acontecimentos positivos ou negativos podem trazer à tona a função contrária inferior. Sobrevindo isso, manifesta-se a *hipersensibilidade. A hipersensibilidade é sintoma da existência de uma inferioridade.* Assim se estabelecem as bases psicológicas da desunião e da incompreensão, não só entre duas pessoas, como também da cisão dentro de si mesmo. Aliás, a natureza da *função inferior*[11] é caracterizada pela *autonomia*; é independente, ela nos acomete, fascina e enleia, a ponto de deixarmos de ser donos de nós mesmos e não nos distinguirmos mais exatamente dos outros.

86 Mesmo assim, é necessário para o desenvolvimento do caráter que esse outro lado, justamente essa função inferior, também possa manifestar-se. Não podemos permitir que outra pessoa se encarregue permanentemente, simbioticamente, de um dos lados da nossa personalidade. De um momento para outro podemos precisar da outra função, como no exemplo acima, e não estaríamos preparados. As consequências podem ser gravíssimas: o extrovertido perde a sua relação indispensável com os objetos e o introvertido, a sua com o sujeito. Por outro lado, é indispensável que a ação do introvertido não seja constantemente inibida por preocupações e hesitações e que o extrovertido possa meditar sobre si mesmo, sem prejudicar as suas relações.

87 Vê-se por aí que a extroversão e a introversão são duas atitudes naturais, antagônicas entre si, ou movimentos dirigidos, que já foram definidos por Goethe como *diástole* e *sístole*. Em sucessão harmônica, deveriam formar o ritmo da vida. Alcançar esse ritmo harmônico supõe uma suprema arte de viver. Ou ser totalmente inconsciente, para que nenhum ato consciente venha perturbar a lei natural, ou ser tão altamente consciente, a ponto de ser capaz de querer e poder executar também os movimentos opostos. Como não podemos retroceder para a inconsciência animal, só nos resta avançar no difícil caminho evolutivo em direção a uma consciência maior. É verdade que essa consciência – a que permite viver o grande Sim e o grande Não da vida em liberdade e intenção – é decididamente um ideal

---

11. *Ibid.*, p. 615s. [OC 6, § 852s.].

Psicologia do inconsciente   71

sobre-humano. Mesmo assim, não deixa de ser uma meta final. O estágio espiritual do nosso tempo consente apenas em querer conscientemente o Sim e em, pelo menos, suportar o Não. Conseguir isso já é uma enorme conquista.

O problema dos opostos como princípio inerente à natureza humana constitui *uma etapa a mais* no desenvolvimento do nosso processo de autoconhecimento. Em geral, é um *problema da idade madura*. O tratamento prático de um paciente nunca vai começar por este problema – principalmente o de um jovem. Comumente, as neuroses juvenis são produzidas por um choque entre as forças da realidade e uma atitude infantil insuficiente, caracterizada, em sua causa, por uma dependência anormal de pais reais ou imaginários e, em sua meta, por uma criatividade deficiente, isto é, por propósitos e ambições inadequados. Neste caso, as reduções de Freud e Adler são perfeitamente indicadas. Mas existem muitas neuroses que só aparecem na idade madura ou que se agravam de tal forma que os pacientes se tornam incapacitados para o trabalho. Nesses casos é fácil comprovar que já existia em sua juventude uma excessiva dependência dos pais, bem como uma série de ilusões infantis, sem que isso impedisse a escolha de uma profissão, seu exercício bem-sucedido e o casamento, um casamento levado aos trancos e barrancos, até que na idade madura a atitude mantida até então entra em colapso. Obviamente, num caso desses, a conscientização das fantasias infantis, da dependência dos pais etc., de nada adianta, embora seja uma parte necessária do processo, e geralmente não tem efeitos prejudiciais. No fundo, a terapia só começa realmente quando o paciente vê que quem lhe barra o caminho não é mais pai e mãe, mas sim ele próprio, isto é, uma parte inconsciente de sua personalidade que continua desempenhando o papel de pai e mãe. Por maior que seja a utilidade deste conhecimento, ele ainda é negativo, pois diz apenas: "Reconheço que não são meus pais que estão contra mim, mas eu mesmo". Mas quem é que se opõe nele? Que parte misteriosa de sua personalidade é essa que se escondeu por detrás das imagens de pai e mãe e que, por tanto tempo, o fez acreditar que a origem do seu mal o atacou de fora? Esta parte é o oposto da sua atitude consciente, não lhe dará sossego e o perturbará até que seja aceita. Não há dúvida de que, nos jovens, libertar-se do passado já é suficiente; porque ainda têm um futuro promissor

88

e cheio de possibilidades pela frente. Basta soltar umas amarras; o ímpeto da vida fará o resto. Mas o problema é diferente para as pessoas que já deixaram boa parte da vida para trás, a quem o futuro não acena mais com fabulosas promessas, que nada mais esperam da vida senão os velhos e habituais deveres e os prazeres duvidosos da velhice.

89 O jovem que consegue livrar-se do passado vai transferindo as imagens dos pais a figuras que os substituam mais adequadamente: o sentimento de apego à mãe passa para a mulher, e a autoridade do pai, a professores e superiores que merecem seu respeito, ou então a instituições. Não é uma solução fundamental, mas um caminho prático, que também é percorrido pela pessoa normal, inconscientemente e, por isso mesmo, sem inibições ou resistências consideráveis.

90 Mas o problema do adulto, que já completou esse trecho do caminho com maior ou menor dificuldade, é diferente. Procurou a mãe na mulher, o pai no marido, e encontrou-os. Honrou antepassados e instituições. Por sua vez, tornou-se pai e mãe e talvez já tenha ultrapassado esta fase. De repente viu que o que antes significava para ele progresso e satisfação não passa de engodo, restos de ilusão infantil. Olha agora para tudo isso com um misto de desencanto e inveja, porque à sua frente só se descortina a perspectiva da velhice, o fim de todas as ilusões. Não há mais lugar para pai ou mãe. Todas as ilusões que projetou no mundo e nas coisas retornam a ele, pouco a pouco, cansadas, desgastadas. A energia de todas essas relações lhe é restituída e entregue ao inconsciente, onde vivifica tudo quanto até então deixara de desenvolver.

91 Os impulsos, antes acorrentados na neurose, quando libertos, enchem o jovem de brio e esperança, dando-lhe a possibilidade de abrir-se mais para a vida. Na segunda metade da vida, o desenvolvimento da função dos contrários, adormecida no inconsciente, significa renovação de vida. No entanto, *este desenvolvimento não se faz mais através da solução de ligações infantis*, da destruição de ilusões infantis e da transferência das imagens antigas para novas figuras, mas passa pelo *problema dos contrários*.

92 O princípio dos opostos já está, naturalmente, na base do espírito jovem. Qualquer teoria psicológica sobre a psique infantil deveria levar em conta esse dado da realidade. Os pontos de vista de Freud e

Psicologia do inconsciente

Adler, portanto, só são contraditórios quando pretendem valer como teorias globais. Mas, na medida em que se contentarem com o título de técnicas auxiliares, já não entram em contradição nem se excluem mutuamente. A teoria psicológica que quiser ser mais do que simples técnica auxiliar tem que basear-se no princípio dos contrários, pois sem ele só reconstruiria psiques neuróticas desequilibradas. Não há equilíbrio nem sistema de autorregulação sem oposição. E a psique é um sistema de autorregulação.

Retomando o fio que deixamos para trás, podemos dizer que agora ficou esclarecido por que a neurose contém justamente os valores que faltam ao indivíduo. E também podemos voltar ao caso daquela jovem senhora e a ele aplicar os conhecimentos adquiridos. Suponhamos que essa doente seja "analisada". No decorrer do tratamento vai se percebendo os pensamentos inconscientes encobertos pelos sintomas. Vai se recuperando, assim, a energia inconsciente que era toda a força dos sintomas. Coloca-se então a questão prática: o que vai acontecer com a energia disponível? De acordo com o tipo psicológico da doente, seria razoável transferir novamente essa energia para um objeto tal como uma atividade filantrópica ou outra ocupação de utilidade. Este caminho é a exceção. Só é possível a pessoas dotadas de energia especial, capazes de doação total, ou a pessoas com disposição natural para atividades desse tipo. Na maioria dos casos, porém, não é o que acontece. É preciso não esquecer que a libido (energia psíquica) já possui o seu objeto no inconsciente – nesse caso, o rapaz italiano ou um ser humano real que o substitua. Assim sendo, por mais desejável que seja uma tal sublimação, ela é evidentemente impossível. Pois em geral o objeto real oferece um fluxo melhor à energia do que uma atividade ética, por mais bela que seja. Infelizmente, há muita gente falando do homem, mas sempre do homem ideal, de como seria bom que ele fosse, mas nunca do homem tal como ele é na realidade. Mas o médico sempre lida com o homem real, que vai teimar em continuar o mesmo, até que sua realidade seja inteiramente aceita. A educação só pode ser feita a partir da realidade nua, não de uma imagem real deturpada.

Infelizmente, em geral, o rumo a ser tomado pela "energia disponível" não pode ser indicado por nossa vontade. Ela segue o seu fluxo. Aliás, já o tinha encontrado antes de estar completamente desligada da sua forma inaproveitável, porque descobrimos que as fantasias da paciente, que antes giravam em torno do italiano, foram transferidas para o médico[12]. Por isso o próprio médico tornou-se o objeto da libido inconsciente. Caso a doente se recuse terminantemente a reconhecer a transferência[13], ou caso o médico não compreenda o fenômeno ou o entenda mal, aparecerão resistências violentas que vão impossibilitar qualquer relação com o médico. Os doentes não voltam mais, procuram outro médico ou então uma pessoa que os entenda, ou ainda, quando desistem de procurar, ficam atolados no problema.

95 Mas se a transferência se der e for aceita, então vai se encontrar não só uma forma natural de substituir a antiga forma, mas também uma possibilidade de dar vazão ao processo energético relativamente isento de conflitos. Logo, quando se permite que a libido siga o seu curso natural, ela encontrará por si só o caminho para o objeto que lhe é destinado. Quando isso não acontece é porque a vontade rebelou-se contra as leis da natureza ou porque houve interferências prejudiciais.

96 Na transferência, primeiramente, são projetadas fantasias infantis de toda espécie e estas têm que ser corroídas, ou melhor, dissolvidas pela redução. A isso se deu o nome de *solução da transferência*. Dessa maneira também se liberta a energia da sua primitiva forma inaproveitável, e mais uma vez nos encontramos diante do problema da energia disponível. Confiemos de novo na natureza, que – antes de o procurarmos – já escolheu o objeto capaz de proporcionar-lhe o fluxo adequado.

---

12. Freud introduziu o conceito de *transferência* para definir as projeções de conteúdos inconscientes.

13. Contrariamente à opinião de alguns, não estou convencido de que a "transferência para o médico" seja um fenômeno constante e indispensável ao bom êxito da terapia. Transferência é projeção, e a projeção está ou não presente. *Necessária* ela não é. Em hipótese alguma pode ser "forjada"; pois, por definição, ela nasce de motivações inconscientes. O médico pode ser a pessoa indicada para a projeção, ou não. Nada nos faz afirmar que ele corresponde necessariamente ao fluxo natural da libido do cliente; pois é bem possível que este último tenha vagamente em vista um objeto de projeção bem mais importante. Às vezes, a não projeção no médico pode até facilitar consideravelmente a terapia, pois, neste caso, os valores pessoais reais passam a ocupar mais nitidamente o primeiro plano.

V

O inconsciente pessoal e o inconsciente suprapessoal ou coletivo

Neste ponto se inicia uma nova etapa no processo do conhecimento de si. A dissolução analítica das fantasias de transferência infantis tinha prosseguido até o momento em que o próprio paciente reconheceu claramente que para ele o médico tinha sido pai, mãe, tio, tutor, professor, ou outra das formas usuais de autoridade paterna. No entanto, a experiência tem mostrado insistentemente o aparecimento de outro tipo de fantasia: o médico fica investido das funções de salvador ou ente com características divinas, contrariando frontalmente a razão sadia da consciência. Pode acontecer também que esses atributos divinos não se limitem ao quadro cristão em que fomos criados e adotem, por exemplo, formas pagãs, teriomórficas (formas animais).

A transferência em si nada mais é do que uma projeção de conteúdos inconscientes. Primeiro são projetados os conteúdos chamados superficiais do inconsciente, reconhecidos através de sonhos, sintomas e fantasias. Neste estado o médico interessa como um amante eventual (mais ou menos como o rapaz italiano daquele caso). A seguir, aparece preponderantemente como pai: pai bondoso ou furibundo, conforme as qualidades que o pai verdadeiro tinha para o paciente. Uma vez ou outra o médico também recebe atributos maternos, o que já pode parecer estranho, mas ainda está dentro dos limites do possível. Todas essas projeções de fantasias são calcadas em reminiscências pessoais.

Finalmente, podem surgir fantasias de caráter exaltado. Nestes casos o médico fica dotado de propriedades sobrenaturais. Torna-se um bruxo, um criminoso demoníaco, ou então o bem correspondente: um verdadeiro salvador. Também pode aparecer como uma mistura de ambos. Entenda-se bem: tudo isso não se passa necessariamente no consciente do paciente. São fantasias que surgem e representam o médico sob essas formas. Muitas vezes, não entra na cabeça de tais pacientes que na realidade essas fantasias provêm deles mesmos e nada ou muito pouco têm a ver com o caráter do médico. Este engano ocorre por não existirem bases de reminiscências pessoais para este tipo de projeção. Ocasionalmente podemos provar que em determinado momento de sua infância tiveram fantasias semelhantes em relação ao pai e à mãe, sem que eles tivessem realmente dado motivo para isso.

100 Freud demonstrou, num pequeno trabalho[1], como a vida de Leonardo da Vinci tinha sido influenciada pelo fato de ele ter tido duas mães. O fato das duas mães, ou da dupla filiação, era real na vida de Leonardo. Embora imaginária, outros artistas também sofreram a influência da dupla filiação. Benvenuto Cellini, por exemplo, teve fantasias a respeito dessa dupla filiação. Aliás, este é um tema mitológico. Muitos heróis legendários tiveram duas mães. A fantasia não vem do fato de os heróis terem duas mães, mas de uma imagem universal "primordial", pertencente aos segredos da história do espírito humano e não à esfera da reminiscência pessoal.

101 Afora as recordações pessoais, existem, em cada indivíduo, as grandes imagens "primordiais", como foram designadas acertadamente por Jacob Burckhardt, ou seja, a aptidão hereditária da imaginação humana de ser como era nos primórdios. Essa hereditariedade explica o fenômeno, no fundo surpreendente, de alguns temas e motivos de lendas se repetirem no mundo inteiro e em formas idênticas, além de explicar por que os nossos doentes mentais podem reproduzir exatamente as mesmas imagens e associações que conhecemos dos textos antigos. Meu livro *Wandlungen und Symbole der Libido*[2] contém alguns exemplos. Isso não quer dizer, em absoluto, que as *imaginações*

---

1. *Eine Kindheitserinnerung des Leonardo da Vinci*. [s.l.]: [s.e.], 1910.
2. Nova edição: *Symbole der Wandlung. Op. cit.* [OC 5]. Cf. tb. *Über den Begriff des kolletktiven Unbewussten* [OC 9].

Psicologia do inconsciente

sejam *hereditárias*; hereditária é apenas a *capacidade de ter tais imagens*, o que é bem diferente.

Logo, neste estágio mais adiantado do tratamento, em que as fantasias não repousam mais sobre reminiscências pessoais, trata-se da manifestação da camada mais profunda do inconsciente, onde jazem adormecidas as imagens humanas universais e originárias. Essas imagens ou motivos, denominei-os *arquétipos*[3] (ou então "dominantes"). 102

Essa descoberta significa mais um passo à frente na interpretação, a saber: a caracterização de *duas camadas no inconsciente*. Temos que distinguir o inconsciente *pessoal* do inconsciente *impessoal* ou *suprapessoal*. Chamamos este último de inconsciente *coletivo*[4], porque é desligado do inconsciente pessoal e por ser totalmente universal; e também porque seus conteúdos podem ser encontrados em toda parte, o que obviamente não é o caso dos conteúdos pessoais. O inconsciente pessoal contém lembranças perdidas, reprimidas (propositalmente esquecidas), evocações dolorosas, percepções que, por assim dizer, não ultrapassaram o limiar da consciência (subliminais), isto é, percepções dos sentidos que por falta de intensidade não atingiram a consciência e conteúdos que ainda não amadureceram para a consciência. Corresponde à figura da *sombra*[5], que frequentemente aparece nos sonhos. 103

---

3. Para esclarecer esse conceito, posso indicar os seguintes trabalhos, dos quais se depreende o desenvolvimento posterior do conceito: *Symbole der Wandlung*. [OC 5]. *Psychologische Typen*. *Op. cit.*, p. 567s. [OC 6, § 759s.]. Cf. tb. *Von den Wurzeln des Bewusstseins*, 1954; os ensaios *Über die Archetypen des kollektiven Unbewussten*, p. 3s.; *Über den Archetypus mit besonderer Berücksichtigung des Animabegriffes*, p. 57s.; *Die psychologischen Aspekte des Mutterarchetypus*, p. 87s. [OC 9/1]. JUNG, C.G.; KERÉNYI, K. *Einführung in das Wesen der Mythologie*. Das göttliche Kind/Das göttliche Mädchen. Zurique: Rhein-Verlag, 1951, p. 103s. *Zum psychologischen Aspekt der Korefigur*, p. 215s. [OC 9/1]. Comentário sobre WILHELM, R. *Das Geheimnis der goldenen Blüte*, 1928 [OC 13].

4. O inconsciente coletivo representa a parte objetiva do psiquismo; o inconsciente pessoal, a parte subjetiva.

5. *Sombra* é, para mim, a parte "negativa" da personalidade, isto é, a soma das propriedades ocultas e desfavoráveis, das funções mal desenvolvidas e dos conteúdos do inconsciente pessoal. T. Wolff resumiu o conceito em Ein-

104   As imagens primordiais são as formas mais antigas e universais da imaginação humana. São simultaneamente sentimento e pensamento. Têm como que vida própria, independente, mais ou menos como a das *almas parciais*[6], fáceis de serem encontradas nos sistemas filosóficos ou gnósticos, apoiados nas percepções do inconsciente como fonte de conhecimento. A ideia dos anjos e arcanjos, dos "tronos e potestades" de Paulo, dos arcontes dos gnósticos, das hierarquias celestiais em *Dionysius Areopagita* etc., deriva da percepção da relativa autonomia dos arquétipos.

105   Assim, também encontramos o objeto que a libido escolhe quando se vê liberada da forma de transferência pessoal e infantil. A libido segue sua inclinação até as profundezas do inconsciente e lá vivifica o que até então jazia adormecido. É a descoberta do tesouro oculto, a fonte inesgotável onde a humanidade sempre buscou seus deuses e demônios e todas as ideias, suas mais fortes e poderosas ideias, sem as quais o ser humano deixa de ser humano.

106   Vejamos, por exemplo, um dos maiores pensamentos do século XIX: a ideia da *conservação da energia*. Robert Mayer é o verdadeiro criador dessa ideia. Ele era médico, e não físico ou filósofo da natureza, como seria de se esperar. Mas o importante é saber que a ideia de Mayer não foi propriamente criada. Também não foi produto da confluência das ideias ou das hipóteses científicas da época; ela foi crescendo dentro do seu criador como uma planta. Mayer escreveu o seguinte, numa carta a Griesinger (1844): "A teoria não foi chocada em escrivaninha". (A seguir, informa sobre certas observações fisiológicas feitas em 1840/1841 como médico da Marinha.) "Se quisermos esclarecer certos pontos da fisiologia", prossegue em sua carta, "é indispensável conhecer os processos físicos; isto se a matéria não for trabalhada de preferência do ponto de vista da metafísica, o que me desagrada profundamente. Ative-me, portanto, à física e lancei-me no assunto com tal paixão que pouco me interessavam as paragens exóticas que percorríamos (o que muitos vão achar ridículo) e preferia ficar a bordo, onde podia trabalhar ininterruptamente

---

führung in die Grundlagen der komplexen Psychologie. *In*: WOLFF, T. *Studien zu C.G. Jungs Psychologie*. Zurique: Rhein-Verlag, 1959, p. 151s.

6. Para aprofundar este conceito, cf. JUNG, C.G. Allgemeines zur Komplextheorie. *In*: *Über psychische Energetik und das Wesen der Träume. Op. cit.* [OC 8].

Psicologia do inconsciente

e me sentia como que inspirado durante horas a fio. Não me lembro de ter vivido momentos semelhantes, nem antes, nem depois. Rápidos clarões perpassavam meu pensamento (isso foi no ancoradouro de Surabaja), eram captados e imediata e avidamente perseguidos, levando, por sua vez, a novos objetos. Esses tempos passaram. Mas o exame calmo do que *emergiu em mim* naquela ocasião confirmou que se tratava de uma verdade. *Não só uma verdade subjetiva*, mas uma verdade que também pode ser provada objetivamente. Se isso pode acontecer a *um homem tão pouco versado em física* como eu, é uma questão que tenho que deixar em suspenso"[7].

Em sua *Energetik*, Helm diz que o novo pensamento de Robert Mayer não se desenvolveu pouco a pouco a partir do aprofundamento das ideias tradicionais existentes sobre energia, mas *pertence à ordem das ideias captadas intuitivamente, provindas de outras esferas de trabalho espiritual, que também assaltam o pensamento, exigindo que os conceitos tradicionais se transformem de acordo com elas*[8]. 107

A questão agora é a seguinte: de onde surgiu a ideia nova, essa ideia que se impôs à consciência com tão elementar violência? De onde tirou a sua força, essa força que se apoderou da consciência de modo a torná-la insensível às inúmeras atrações de uma primeira viagem aos trópicos? A resposta não é fácil. Mas, se a nossa teoria for aplicada ao presente caso, a explicação deve ser a seguinte: *a ideia da energia e de sua conservação deve ser uma imagem primordial, adormecida no inconsciente coletivo*. Semelhante conclusão nos obriga, evidentemente, a provar que tais imagens primordiais existiram efetivamente na história do espírito humano e que foram ativas durante milhares e milhares de anos. Esta prova pode ser realmente fornecida sem maiores dificuldades. *As religiões mais primitivas, nas regiões mais variadas do mundo, são fundadas nessa imagem*. São as chamadas *religiões dinamísticas*. Seu pensamento único e decisivo é que há 108

---

7. MAYER, R. *Kleinere Schriften und Briefe*. Stuttgart: [s.e.], 1893, p. 213. Cartas a Wilhelm Griesinger, 16 de junho de 1844.

8. HELM, G.F. *Die Energetik nach ihrer geschichtlichen Entwicklung*. Leipzig: [s.e.], 1898, p. 20.

uma força universal mágica[9] e que tudo gira em torno dessa força. Tanto Taylor, o conhecido cientista inglês, como Frazer interpretaram essa ideia como animismo, erroneamente. Na realidade, os povos primitivos não se referem a almas ou espíritos nesse seu conceito de energia, mas a algo que o cientista americano Lovejoy[10] qualificou acertadamente como *"primitive energetics"*. A este conceito corresponde a ideia de alma, espírito, deus, saúde, força corporal, fertilidade, poder mágico, influência, poder, respeito, remédio, bem como certos estados de ânimo caracterizados pela liberação de afetos. *"Mulungu"* (precisamente este conceito primitivo de energia) significa, para certos polinésios, espírito, alma, ser demoníaco, poder mágico, respeito; e quando acontece algo assombroso as pessoas exclamam *"mulungu"*. Este conceito de energia também é a primeira versão do conceito de deus entre os primitivos. A imagem desenvolveu-se em variações sempre novas no decurso da história. No Antigo Testamento, a força mágica resplandece na sarça que arde em chamas diante de Moisés. No Evangelho, manifesta-se pela descida do Espírito Santo em forma de línguas de fogo vindas do céu. Em Heráclito, aparece como energia universal, como "o fogo eternamente vivo". Entre os persas é a viva luz do fogo do *"haoma"*, da *graça* divina; para os estoicos é o *calor primordial*, a força do destino. Na legenda medieval aparece como a aura, a auréola dos santos, desprendendo-se em forma de chamas do telhado da cabana onde o santo jaz em êxtase. Nas faces dos santos essa força é vista como sol e plenitude da luz. Segundo uma interpretação antiga, a própria alma é essa energia; a ideia de sua imortalidade é a de sua *conservação*; e na acepção budista e primitiva da metempsicose (transmigração da alma) reside a sua *capacidade ilimitada de transformação e perene conservação*.

Há milênios o cérebro humano está impregnado dessa ideia, por isso, jaz no inconsciente de todos, à disposição de qualquer um. Apenas requer certas condições para vir à tona. Pelo visto, essas condições

---

9. O chamado *Mana*. Cf. SÖDERBLOM, N. *Das Werden des Gottesglaubens*. [s.l.]: [s.e.], 1916.

10. LOVEJOY, A.O. The fundamental concept of the primitive philosophy. *The Monist*, vol. XVI, 1906, p. 361.

Psicologia do inconsciente   81

foram preenchidas no caso de Robert Mayer. Os maiores e melhores pensamentos da humanidade são moldados sobre imagens primordiais, como sobre a planta de um projeto. Muitas vezes já me perguntaram de onde provêm esses arquétipos ou imagens primordiais. Suponho que sejam sedimentos de experiências constantemente revividas pela humanidade. Parece que a explicação não pode ser outra. Uma das experiências mais comuns e ao mesmo tempo mais impressionantes é o trajeto que o sol parece percorrer todos os dias. Enquanto o encararmos como esse processo físico conhecido, o nosso inconsciente nada nos revela a respeito. No entanto, encontramos o mito heroico do sol nas suas mais variadas versões. É este mito, e não o processo físico, que configura o arquétipo solar. O mesmo podemos dizer das fases da lua. O arquétipo é uma espécie de aptidão para reproduzir constantemente as mesmas ideias míticas; se não as mesmas, pelo menos parecidas. Parece, portanto, que aquilo que se impregna no inconsciente é exclusivamente a ideia da fantasia subjetiva provocada pelo processo físico. Logo, é possível supor que os arquétipos sejam as impressões gravadas pela repetição e reações subjetivas[11]. É óbvio que tal suposição só posterga a solução do problema. Nada nos impede de supor que certos arquétipos já estejam presentes nos animais, pertençam ao sistema da própria vida e, por conseguinte, sejam pura expressão da vida, cujo modo de ser dispensa qualquer outra explicação. Ao que parece, os arquétipos não são apenas impregnações de experiências típicas, incessantemente repetidas, mas também se comportam empiricamente como *forças* ou tendências à repetição das mesmas experiências. Cada vez que um arquétipo aparece em sonho, na fantasia ou na vida, ele traz consigo uma "influência" específica ou uma força que lhe confere um efeito *numinoso* e fascinante ou que impele à ação.

Após este comentário sobre a formação de novas ideias a partir do tesouro das imagens primordiais, voltemos ao processo da transferência. Vimos que a libido captou seu novo objeto justamente nas fantasias extravagantes e aparentemente sem nexo, a saber: os conteúdos do inconsciente coletivo. Como já dizia, a projeção das imagens

110

---

11. Cf. Die Struktur der Seele. *In*: JUNG, C.G. *Seelenprobleme der Gegenwart*. Zurique: [s.e.], 1931, 1950, p. 127 [OC 8].

primordiais no médico é um perigo que não pode ser subestimado no prosseguimento do tratamento. Essas imagens contêm não só o que há de mais belo e grandioso no pensamento e sentimento humanos, mas também as piores infâmias e os atos mais diabólicos que a humanidade foi capaz de cometer. Graças à sua energia específica (pois comportam-se como centros autônomos carregados de energia), exercem um efeito fascinante e comovente sobre o consciente e, consequentemente, podem provocar grandes alterações no sujeito. Isso é constatado nas conversões religiosas, em influências por sugestão e, muito especialmente, na eclosão de certas formas de esquizofrenia[12]. Se o paciente não conseguir distinguir a personalidade do médico dessas projeções, perdem-se todas as possibilidades de entendimento e a relação humana torna-se impossível. Se o paciente evitar este perigo, mas cair na *introjeção* dessas imagens, isto é, se atribuir essas qualidades não mais ao médico mas a si mesmo, corre um perigo tão grave quanto o anterior. Na projeção ele oscila entre um endeusamento doentio e exagerado e um desprezo carregado de ódio em relação ao médico. Na introjeção passa de um autoendeusamento ridículo para uma autodilaceração moral. O erro cometido em ambos os casos consiste em atribuir os conteúdos do inconsciente coletivo a uma determinada pessoa. Assim, ele próprio, ou a outra pessoa, se transforma em deus ou no diabo. Esta é a manifestação característica do arquétipo: uma espécie de força primordial se apodera da psique e a impele a transpor os limites do humano, dando origem aos excessos, à presunção (inflação!), à compulsão, à ilusão ou à comoção, tanto no bem como no mal. Aí está a razão por que os homens sempre precisaram dos demônios e nunca puderam prescindir dos deuses. Todos os homens, exceto alguns espécimes recentes do *"homo occidentalis"*, particularmente dotados de inteligência, super-homens cujo "Deus está morto" – razão por que eles mesmos se transformam em deuses, isto é, deuses enlatados, com crânios de paredes espessas e coração frio. O conceito de Deus é simplesmente uma função psicológica

---

12. Um caso analisado em profundidade em: *Symbole der Wandlung. Op. cit.*, [OC 5]; bem como em NELKEN, J. Analytische Beobachtungen über Phantasien eines Schizophrenen. *Jahrbuch für psychoanalytische und psychopathologische Forschungen*. Leipzig/Viena, IV/1, 1912, p. 504.

Psicologia do inconsciente

necessária, de natureza irracional, *que absolutamente nada tem a ver com a questão da existência de Deus.* O intelecto humano jamais encontrará uma resposta para esta questão. Muito menos pode haver qualquer prova da existência de Deus, o que, aliás, é supérfluo. A ideia de um ser todo-poderoso, divino, existe em toda parte. Quando não é consciente, é inconsciente, porque seu fundamento é arquetípico. Há alguma coisa em nossa alma que tem um poder superior – não sendo um deus conscientemente, então é pelo menos "o estômago", no dizer de Paulo. Por isso, acho mais sábio reconhecer conscientemente a ideia de Deus; caso contrário, outra coisa fica em seu lugar, em geral uma coisa sem importância ou uma asneira qualquer – invenções de consciências "esclarecidas". Nosso intelecto sabe perfeitamente que não tem capacidade para pensar Deus e muito menos para imaginar que ele existe realmente e como ele é. A questão da existência de Deus não tem resposta possível. Mas o *"consensus gentium"* (o consenso dos povos) fala dos deuses há milênios e dentro de milênios ainda deles falará. O homem tem o direito de achar sua razão bela e perfeita, mas nunca, em hipótese alguma, ela deixará de ser apenas uma das funções espirituais possíveis, e só cobrirá o lado dos fenômenos do mundo que lhe diz respeito. A razão, porém, é rodeada de todos os lados pelo irracional, por aquilo que não concorda com ela. Essa irracionalidade também é uma função psíquica, o inconsciente coletivo, enquanto a razão é essencialmente ligada ao consciente. A consciência precisa da razão para descobrir uma ordem no caos do universo dos casos individuais para depois também criá-la, pelo menos na circunscrição humana. Fazemos o esforço louvável e útil de extirpar, na medida do possível, o caos da irracionalidade dentro e fora de nós. Ao que tudo indica, já estamos bastante avançados neste processo. Um doente mental me disse outro dia: "Doutor, hoje à noite desinfetei o céu inteiro com cloreto mercúrico, mas não descobri deus nenhum". Foi mais ou menos o que nos aconteceu.

O velho Heráclito, que era realmente um grande sábio, descobriu a mais fantástica de todas as leis da psicologia: *a função reguladora dos contrários.* Deu-lhe o nome de *enantiodromia* (correr em direção contrária), advertindo que um dia tudo reverte em seu contrário. (Lembro aqui o caso do empresário americano, que ilustra claramente isso.) A cultura racional dirige-se necessariamente para o seu contrário, ou seja, para o aniquilamento irracional da cultura[13]. Não devemos nos identificar com a própria razão, pois o homem não é apenas racional, não pode e nunca vai sê-lo. Todos os mestres da cultura deveriam ficar cientes disso. O irracional não deve e não pode ser extirpado. Os deuses não podem e não devem morrer. Há pouco, dizia que sempre parece haver algo como um poder superior na alma humana. Se não é a ideia de Deus, é o estômago, para empregar a expressão de Paulo. Com isso pretendo deixar expresso o fato de sempre haver um impulso ou um complexo qualquer que concentra em si a maior parcela da energia psíquica, obrigando o eu a colocar-se a seu serviço. Habitualmente, é tão intensa a força de atração exercida por esse foco de energia sobre o eu que este se identifica com ele, passando a acreditar que fora e além dele não existe outro desejo ou necessidade. É assim que se forma uma mania, monomania, possessão ou uma tremenda unilateralidade que compromete gravemente o equilíbrio psíquico. O poder de concentrar toda a capacidade num único ponto é sem dúvida alguma o segredo de certos êxitos, razão por que a civilização se esforça ao máximo em cultivar especializações. A paixão, ou seja, a acumulação de energia em torno de uma monomania é o que os antigos chamavam de "deus". E mesmo na linguagem atual isso ainda persiste. As pessoas dizem: "Fulano endeusou isso ou aquilo". Estamos certos de que ainda podemos querer ou escolher e não percebemos que já estamos possessos, que o nosso interesse já é senhor e usurpou todo o poder. Esses interesses são como deuses: quando reconhecidos e aceitos por muitos, pouco a pouco formam uma "igreja", agrupando ao seu redor todo um rebanho de fiéis. Chamamos a isso "organização". Segue-se a reação desorganizadora, que pretende expulsar o demônio com Belzebu. A enantiodromia, ameaça inevitável de qualquer movimento que alcança uma indiscutível superioridade, não é a solução do problema, porque em sua desorganização é tão cega quanto em sua organização.

---

13. Esta frase foi escrita durante a Primeira Guerra Mundial. Deixei-a tal qual, pois contém uma verdade, que vai ser confirmada mais de uma vez no decorrer da história (escrita em 1925). Como se vê pelos acontecimentos atuais, esta confirmação não tardou muito. Quem é, afinal, que quer essa destruição cega?... Mas todos ajudam o demônio com o maior espírito de sacrifício. Ó *sancta simplicitas*! (acrescentado em 1942).

Psicologia do inconsciente   85

Só escapa à crueldade da lei da enantiodromia quem é capaz de   112
diferenciar-se do inconsciente. Não através da repressão dele – pois
assim haveria simplesmente um ataque pelas costas – *mas colocando-o ostensivamente à sua frente como algo à parte, distinto de si.*
Só mediante este trabalho preparatório será possível solucio-   113
nar o dilema a que aludi anteriormente. O paciente precisa aprender a distinguir o eu do não eu, isto é, da psique coletiva. Assim,
adquire o material com que vai ter que se haver daí em diante e
por muito tempo ainda. A energia antes aplicada de forma inaproveitável, patológica, encontra seu campo apropriado. Para diferenciar o eu do não eu, é indispensável que o homem – na função de
eu – se conserve em *terra firme,* isto é, *cumpra seu dever em relação à vida e, em todos os sentidos, manifeste sua vitalidade como
membro ativo da sociedade humana.* Tudo quanto deixar de fazer
nesse sentido cairá no inconsciente e reforçará sua posição. E ainda
por cima ele se arrisca a ser engolido pelo inconsciente. Essa infração, porém, é severamente punida. O velho Synesius insinua que
a "alma espiritualizada" (πνευματιχὴ ψυχή) se torna deus e demônio e sofre neste estado a punição divina: o estado de estraçalha-
mento do Zagreu, o estado pelo qual Nietzsche passou no início
de sua doença mental. A enantiodromia é o estar dilacerado nos
pares contrários. Estes são próprios do deus e, portanto, do homem divinizado, que deve sua semelhança a Deus à vitória sobre
seus deuses. Assim que começamos a falar do inconsciente coletivo,
nós nos colocamos numa esfera, numa etapa do problema que não
pode ser levada em conta no início da análise prática de jovens ou
de pessoas que ficaram por demasiado tempo no estágio infantil.
Quando as imagens de pai e mãe ainda têm que ser superadas e
quando ainda tem que ser conquistada uma parcela de experiência da vida exterior, que o homem comum possui naturalmente, é
melhor nem falar de inconsciente coletivo, nem do problema dos
contrários. Mas, assim que as coisas transmitidas pelos pais e as ilusões juvenis estiverem superadas ou, pelo menos, *a ponto de serem
superadas,* está na hora de falar do problema dos contrários e do
inconsciente coletivo. Neste ponto já nos encontramos fora do alcance das reduções freudianas e adlerianas. O que preocupa não é
mais a questão de como desembaraçar-se de todos os empecilhos ao
exercício de uma profissão, ao casamento ou a fazer qualquer coisa

que signifique expansão de vida. Estamos diante do problema de encontrar o sentido que possibilite o prosseguimento da vida (entendendo-se por vida algo mais do que simples resignação e saudosismo).

114   Nossa vida compara-se à trajetória do sol. De manhã o sol vai adquirindo cada vez mais força até atingir o brilho e o calor do apogeu do meio-dia. Depois vem a enantiodromia. Seu avançar constante não significa mais aumento e sim diminuição de força. Sendo assim, nosso papel junto ao jovem difere do que exercemos junto a uma pessoa mais amadurecida. No que se refere ao primeiro, basta afastar todos os obstáculos que dificultam sua expansão e ascensão. Quanto à última, porém, temos que incentivar tudo quanto sustente sua descida. Um jovem inexperiente pode pensar que os velhos podem ser abandonados, pois já não prestam para nada, uma vez que sua vida ficou para trás e só servem como escoras petrificadas do passado. É enorme o engano de supor que o sentido da vida esteja esgotado depois da fase juvenil de expansão, que uma mulher esteja "liquidada" ao entrar na menopausa. O entardecer da vida humana é tão cheio de significação quanto o período da manhã. Só diferem quanto ao sentido e intenção[14]. O homem tem dois tipos de objetivo. O primeiro é o *objetivo natural*, a procriação dos filhos e todos os serviços referentes à proteção da prole; para tanto, é necessário ganhar dinheiro e posição social. Alcançado esse objetivo, começa a outra fase: a do *objetivo cultural*. Para atingir o primeiro objetivo, a natureza ajuda; e, além dela, a educação. Para o segundo objetivo, contamos com pouca ou nenhuma ajuda. Frequentemente reina um falso orgulho que nos faz acreditar que o velho tem que ser como o moço ou, pelo menos, fingir que o é, apesar de no íntimo não estar convencido disso. É por isso que a passagem da fase natural para a fase cultural é tão tremendamente difícil e amarga para tanta gente; agarram-se às ilusões da juventude ou a seus filhos para assim salvar um resquício de juventude. Pode-se notar isso principalmente nas mães que põem nos filhos o único sentido da vida e acreditam cair num abismo sem fundo se tiverem que renunciar a eles. Não é de admirar que muitas neuroses graves se manifestem no início do outono da vida. É uma espé-

---

14. Confrontar essas considerações com Die Lebenswende. *In*: JUNG, C.G. *Seelenprobleme der Gegenwart. Op. cit.*, p. 220s. [OC 8].

Psicologia do inconsciente

cie de segunda puberdade ou segundo período de "impetuosidade", não raro acompanhado de todos os tumultos da paixão ("idade perigosa"). Mas as antigas receitas não servem mais para resolver os problemas que se colocam nessa idade. Tal relógio não permite girar os ponteiros para trás. *O que a juventude encontrou e precisa encontrar fora, o homem no entardecer da vida tem que encontrar dentro de si.* Estamos diante de novos problemas, e não são poucas as dores de cabeça que o médico tem por causa disso.

A passagem da manhã para a tarde é uma *inversão dos antigos valores*. É imperiosa a necessidade de se reconhecer o valor oposto aos antigos ideais, de perceber o engano das convicções defendidas até então, de reconhecer e sentir a inverdade das verdades aceitas até o momento, de reconhecer e sentir toda a resistência e mesmo a inimizade do que até então julgávamos ser amor. Não são poucos os que, vendo-se envolvidos no conflito dos contrários, se desvencilham de tudo quanto lhes parecera bom e desejável, tentando viver no polo oposto ao seu eu anterior. Mudanças de profissão, divórcios, conversões religiosas, apostasias de todo tipo são sintomas desse mergulho no contrário. A desvantagem da conversão radical ao seu contrário é a repressão da vida passada, o que produz um estado de desequilíbrio tão grande quanto o anterior, quando os contrários correspondentes às virtudes e valores conscientes ainda eram recalcados e inconscientes. Às perturbações neuróticas anteriores, determinadas pela inconsciência das fantasias antagônicas, correspondem agora novas perturbações, provocadas pela repressão dos ídolos antigos. Cometemos um erro grosseiro ao acreditar que o reconhecimento do desvalor num valor ou da inverdade numa verdade implique na supressão desses valores ou verdades. O que acontece é que se tornam relativos. *Tudo o que é humano é relativo, porque repousa numa oposição interior de contrários, constituindo um fenômeno energético.* A energia, porém, é produzida necessariamente a partir de uma oposição que lhe é anterior e sem a qual simplesmente não pode haver energia. Sempre é preciso haver o alto e o baixo, o quente e o frio etc., para poder realizar-se o processo da compensação, que é a própria energia. Portanto, a tendência a renegar todos os valores anteriores para favorecer o seu contrário é tão exagerada quanto a unilateralidade anterior. Mas, quando se descartam os valores incontestáveis e uni-

115

versalmente reconhecidos, o prejuízo é fatal. Quem age desta forma perde-se juntamente com os seus valores, como Nietzsche já dissera.

116 Não se trata de uma conversão no seu contrário, *mas de uma conservação dos antigos valores, acrescidos de um reconhecimento do seu contrário.* Isto significa conflito e ruptura consigo mesmo. É compreensível que assuste, tanto filosófica como moralmente; por isso, é mais frequente procurar a solução no enrijecimento convulsivo dos pontos de vista defendidos até então do que numa conversão no seu contrário. É preciso reconhecer que esse fenômeno, aliás extremamente antipático em homens de certa idade, encobre um mérito considerável; pelo menos não se transformam em apóstatas, mantêm-se de pé e não caem na indefinição e na lama. Não se transformam em falidos, mas apenas em árvores que definham – "testemunhas do passado", para falarmos com um pouco mais de cortesia. Mas os sintomas concomitantes, rigidez, petrificação, bitolamento, incapacidade de evoluir, dos *"laudatores temporis acti"* são desagradáveis e até prejudiciais, pois a maneira de representar uma verdade ou outro valor qualquer é tão rígida e violenta que a rudeza tem mais força de repulsão do que o valor possui força de atração – e com isso se obtém o contrário do que se desejava. No fundo, o motivo do enrijecimento é o medo do problema dos contrários. O sinistro irmão de Medardo é pressentido e secretamente temido. Por isso é que só pode existir uma verdade e uma norma de conduta, e esta tem que ser absoluta. Caso contrário, não há proteção contra a ameaça da derrocada, pressentida em toda parte, menos em si mesmo. Mas o mais perigoso revolucionário está dentro de nós mesmos. Quem quiser transferir-se são e salvo para a segunda metade da vida tem que saber disso. No entanto, a aparente segurança de que gozávamos até então é substituída por um estado de insegurança, ruptura e convicções contraditórias. O pior deste estado é que *aparentemente* não há saída. *"Tertium non datur"*, diz a lógica, não existe terceiro.

117 As necessidades práticas do tratamento dos doentes obrigaram-me a buscar meios e caminhos que me guiassem para fora desse estado inaceitável. Cada vez que o homem se encontra diante de um obstáculo aparentemente intransponível, ele recua; faz uma *regressão*, para usar a expressão técnica. Recua ao tempo em que se encontrava numa situação parecida e tentará empregar novamente os meios

Psicologia do inconsciente

que outrora lhe haviam servido. Mas o que ajudava na juventude já não tem eficácia. De que serviu ao empresário americano voltar ao antigo trabalho? Simplesmente não adiantava mais. A regressão continua até a infância (por isso muitos neuróticos velhos se infantilizam) e finalmente *até o tempo anterior à infância*. Isto soa como uma aventura; na realidade, porém, trata-se de algo que não só é lógico, mas também, possível.

Mencionamos anteriormente o fato de o inconsciente conter como que duas camadas: uma pessoal e outra coletiva. A camada pessoal termina com as recordações infantis mais remotas; o inconsciente coletivo, porém, contém o tempo pré-infantil, isto é, *os restos da vida dos antepassados*. As imagens das recordações do inconsciente coletivo são imagens não preenchidas, por serem formas não vividas pessoalmente pelo indivíduo. Quando, porém, a regressão da energia psíquica ultrapassa o próprio tempo da primeira infância, penetrando nas pegadas ou na herança da vida ancestral, aí despertam os quadros mitológicos: os arquétipos[15]. Abre-se então um mundo espiritual interior, de cuja existência nem sequer suspeitávamos. Aparecem conteúdos que talvez contrastem violentamente com as convicções que até então eram nossas. É tal a intensidade desses quadros, que nos parece inteiramente compreensível que milhões de pessoas cultas tenham aderido à teosofia ou à antroposofia, pois esses sistemas gnósticos modernos vêm ao encontro da necessidade de exprimir e formular os indizíveis acontecimentos interiores. As outras formas de religião cristã existentes, inclusive o catolicismo, não o conseguiram, apesar de este ser capaz de exprimir muito melhor do que o protestantismo tais realidades interiores, através de simbolismos dogmáticos e rituais. Mas, mesmo assim, nem no passado, nem no presente,

---

15. O leitor verá que aqui se insere um elemento novo no conceito de arquétipo, que não tinha sido mencionado antes. Essa mistura não significa uma falta de clareza involuntária, mas uma ampliação intencional do arquétipo, através do importantíssimo fator do carma da filosofia indiana. O aspecto do carma é indispensável à compreensão mais profunda da natureza de um arquétipo. Sem entrar aqui em maiores detalhes sobre esse fator, queria ao menos mencionar a sua existência. Fui muito combatido pela crítica por causa da ideia do arquétipo. Não hesito em concordar que a ideia é controversa e causa perplexidade. Mas sempre tive a curiosidade de saber que conceitos os meus críticos teriam usado para exprimir o material experimental em questão.

atingiu a plenitude do simbolismo pagão da Antiguidade. É esta a razão por que o paganismo permaneceu ainda por muitos séculos na era cristã, transformando-se pouco a pouco em correntes subterrâneas. Estas nunca perderam totalmente sua energia vital, desde a Baixa Idade Média até a Idade Moderna. Na realidade, desapareceram da superfície; no entanto, transfiguradas, voltam para compensar a unilateralidade da orientação da consciência moderna[16]. Nossa consciência está impregnada de cristianismo e é quase inteiramente por ele formada; por isso a posição inconsciente dos contrários não pode ser aceita, simplesmente porque parece excessiva a contradição com as concepções fundamentais dominantes. Quanto mais unilateral, rígida e incondicional for a defesa de um ponto de vista, tanto mais agressivo, hostil e incompatível se tornará o outro, de modo que a princípio a reconciliação tem poucas perspectivas de sucesso. Mas, se o consciente pelo menos reconhecer a *relativa* validade de todas as opiniões humanas, o contrário também perde algo de sua incompatibilidade. Entretanto, esse contrário procura uma expressão adequada, por exemplo, nas religiões orientais, no budismo, no hinduísmo e no taoismo. O sincretismo (mistura e combinação) da teosofia vem amplamente ao encontro dessa necessidade e explica o seu elevado número de adeptos.

119   Através da ocupação ligada ao tratamento analítico, surgem experiências de natureza arquetípica à procura de expressão e forma. Evidentemente, não é esta a única maneira de se experimentar coisas desse tipo. Não raro se produzem experiências arquetípicas espontâneas, não apenas em pessoas com um "espírito psicológico". Muitas vezes fiquei sabendo de sonhos e visões extraordinários de pessoas de cuja saúde mental nem o próprio especialista podia duvidar. A experiência do arquétipo é frequentemente guardada como o segredo mais íntimo, visto que nos atinge no âmago. É uma espécie de experiência primordial do não eu da alma, de um confronto interior, um verdadeiro desafio. É compreensível que se procure socorro em imagens paralelas; o acontecimento original poderá ser reinterpretado de acordo com imagens alheias com a maior facilidade. Um caso típico desses é a visão da

---

16. Cf. o meu estudo *Paracelsus als geistige Erscheinung* [OC 13]; e *Psychologie und Alchemie* [OC 12].

Psicologia do inconsciente 91

Trindade do Irmão Niklaus von Flüe[17]. Outro exemplo é a visão da cobra de múltiplos olhos, de Inácio de Loyola, que a princípio foi interpretada como sendo uma visão divina e depois como uma visão diabólica. Através de reinterpretações desse tipo, a experiência original é substituída por imagens e palavras emprestadas de fontes estranhas e por interpretações, ideias e formas que não nasceram necessariamente no nosso chão e, sobretudo, não estão ligadas ao nosso coração, mas apenas à cabeça. E a cabeça nem mesmo é capaz de as pensar claramente porque jamais as teria inventado. São um bem roubado, que não prospera. O sucedâneo transforma as pessoas em sombras, tornando-as irreais. Colocam letras mortas no lugar de realidades vivas e assim vão se livrando do sofrimento das oposições e vão se esgueirando para um mundo fantasmagórico, pálido, bidimensional, onde murcha e morre tudo o que é criativo e vivo.

Os acontecimentos indizíveis provocados pela regressão ao tempo pré-infantil não exigem sucedâneos, mas uma *realização individual* na vida e na obra de cada um. Aquelas imagens se formaram a partir da vida, do sofrimento e da alegria dos antepassados e querem voltar de novo à vida, como experiência e como ação. Mas por causa de sua oposição à consciência não podem ser traduzidas imediatamente para o nosso mundo, mas é preciso achar um caminho intermediário conciliatório entre a realidade consciente e a inconsciente.

120

---

17. Cf. meu ensaio *Bruder Klaus* [OC 2]. E ainda, FRANZ, M.-L. von. *Die Visionen des Niklaus von Flüe*. Zurique: [s.e.], 1959 [Estudos do C.G. Jung-Institut, 9].

VI
O método sintético ou construtivo

121   Lidar com o inconsciente é um processo (ou, conforme o caso, um sofrimento ou um trabalho) cujo nome é *função transcendente*[1], porque representa uma função que, fundada em dados reais e imaginários ou racionais e irracionais, lança uma ponte sobre a brecha existente entre o consciente e o inconsciente. É um processo natural, uma manifestação de energia produzida pela tensão entre os contrários, formado por uma sucessão de processos de fantasia que surgem espontaneamente em sonhos e visões[2]. O mesmo processo pode ser observado nos estágios iniciais de certas formas de esquizofrenia. A descrição clássica de sequências desse tipo é encontrada na autobiografia *Aurélia*, de Gérard de Nerval. Mas é a segunda parte do *Fausto* seu mais importante exemplo na literatura. O processo natural da unificação dos contrários serviu-me de modelo e fundamento para um método que consiste essencialmente em provocar intencionalmente o que a natureza produz inconsciente e espontaneamente e integrá-lo à consciência e seus conceitos. A desgraça de muitos é justamente não terem meios e caminhos para dominar espiritualmente os fatos que neles se registram. Nesses casos torna-se de rigor a intervenção médica, em forma de um método especial de terapia.

---

1. Só mais tarde vim a descobrir que o conceito da função "transcendente" também existe na matemática superior, para designar a função de números reais e imaginários. Cf. tb. meu ensaio sobre Die transzendente Funktion. *In:* JUNG, C.G. *Geist und Werk.* Zurique: Rhein Verlag, 1958 [OC 8].

2. Essas sequências de sonhos foram exemplificadas no livro *Psychologie und Alchemie. Op. cit.*

Psicologia do inconsciente   93

Como vimos, as teorias mencionadas no começo deste livro ba-   122
seiam-se num procedimento redutivo, exclusivamente causal, que
decompõe o sonho (ou fantasia) nos componentes de reminiscências e nos processos instintivos que lhe constituem a base. Já men-
cionei anteriormente o que justifica e o que limita esse processo.
Ele chega ao fim no momento em que os símbolos dos sonhos não
são mais passíveis de serem reduzidos a reminiscências ou anseios
pessoais, isto, é, quando emergem as imagens do inconsciente coletivo. Seria insensato querer reduzir tais ideias coletivas a assun-
tos pessoais. Não só insensato, mas também nocivo, como a experiência me tem ensinado de modo doloroso. Foi realmente difícil
para mim (só o consegui ao final de muitas hesitações e instruído
pelos fracassos) abandonar a orientação exclusivamente persona-
lística da psicologia terapêutica, no sentido indicado. Em primeiro
lugar, tive que me convencer profundamente de que a "análise",
na medida em que se restringe à decomposição, deve ser necessariamente seguida por uma síntese. Em segundo lugar, tive de
me convencer da existência de um material psíquico praticamente
desprovido de significado quando simplesmente decomposto, mas
que encerra uma plenitude de sentido ao ser confirmado e ampliado por todos os meios conscientes (é a chamada *amplificação*)[3]. Os valores das imagens ou símbolos do inconsciente coletivo só aparecem quando submetidos a um tratamento *sintético*.
Como a análise decompõe o material simbólico da fantasia em
seus componentes, o processo sintético integra-o numa expressão
conjunta e coerente. Este processo não é simples. Por isso resolvi
ilustrá-lo com um exemplo.

Uma cliente que se encontrava exatamente no ponto crítico do   123
limite entre a análise do inconsciente pessoal e o despontar dos conteúdos do inconsciente coletivo teve o seguinte sonho: *Quer passar
para a outra margem de um rio. Não há ponte por perto. Mas ela
encontra um lugar onde a passagem é possível. No momento de
atravessar, um caranguejo enorme, antes escondido dentro da água,
agarra seu pé e não a solta mais. Amedrontada, ela acorda.*

---

3. *Ibid.*, 2. ed. 1952, p. 397s. Também JACOBI, J. *Die Psychologie von C.G.
Jung.* Eine Einführung in das Gesamtwerk. 2. ed. Zurique: [s.e.], 1945, p. 132s.

Associações

124   *Rio*: constitui uma fronteira difícil de atravessar; preciso transpor um obstáculo; refere-se provavelmente ao fato de eu só avançar lentamente; seria necessário que eu chegasse do outro lado.

125   *Vau*: uma oportunidade de atravessar em segurança; um caminho possível; caso contrário, o rio seria largo demais; na terapia existe a possibilidade de superar o obstáculo.

126   *Caranguejo*: estava bem escondido dentro da água e não o tinha visto antes; o câncer (caranguejo) é uma doença terrível, incurável (lembra-se do caso de X, que morreu de um carcinoma); tenho medo dessa doença; o caranguejo é um animal que anda para trás; e, pelo visto, quer me puxar para dentro do rio; ele me agarrava com tanta força que fiquei terrivelmente apavorada; o que é que me impede de atravessar?; ah, é!, tive de novo uma briga tremenda com minha amiga.

127   Essa amiga tem muito a ver com o caso. Trata-se de uma amizade de muitos anos, arrebatada, nas raias do homossexualismo. A amiga é parecida com a paciente em muitos pontos, e também é nervosa. Têm, manifestamente, interesses artísticos em comum. Das duas, a minha cliente tem a personalidade mais forte. Como a relação entre elas é de excessiva intimidade e exclui em demasia outras possibilidades de vida, ambas são nervosas. Apesar de uma amizade ideal, suas brigas são violentas, devido à irritabilidade recíproca. Com isso, o inconsciente quer distanciá-las uma da outra. Mas elas não querem perceber isso. Em geral o escândalo começa quando uma delas acha que ainda não se compreendem o suficiente, que é preciso um entendimento mais profundo, e tentam abrir-se uma à outra, muito entusiasmadas. Como é óbvio, o desentendimento não tarda. E isso provoca outra cena, bem pior do que a anterior. *"Faute de mieux"*, durante muito tempo a briga era para ambas um sucedâneo do prazer a que não estavam dispostas a renunciar. Minha paciente não conseguia prescindir da doce dor de ser incompreendida pela melhor amiga, muito embora dissesse que cada uma dessas brigas a "matava" de exaustão. Também já tinha reconhecido há muito tempo que essa amizade estava superada e que só uma falsa ambição alimentava a ideia de que ela pudesse se transformar numa relação ideal. A cliente já tinha tido com a mãe um relacionamento efusivo e fantasioso. Depois da morte da mãe, transferira seus sentimentos para a amiga.

Psicologia do inconsciente   95

Interpretação analítica (causal-redutiva)[4]

Essa interpretação pode ser resumida numa única frase: "Vejo   128
muito bem que eu deveria transpor o rio e passar para o lado de
lá (isto é, desistir da relação com a amiga); mas eu quero que as
pinças (abraços) da amiga não me larguem, o que corresponde ao
desejo infantil do abraço da mãe, naquele seu jeito conhecido e
efusivo de me apertar contra o peito". O que há de incompatível
no desejo é a ligação homossexual subterrânea, da qual os fatos
dão sobejas provas. O caranguejo fisga-lhe o pé. A paciente tem
pés grandes, "masculinos". Na relação com a amiga é ela que desempenha o papel do homem, e tem fantasias sexuais a respeito.
Como é sabido, o pé tem um significado fálico[5]. A interpretação
global é essa: não quer separar-se da amiga por causa dos desejos
homossexuais reprimidos que tem em relação a ela. Como esses
desejos são moral e esteticamente incompatíveis com a tendência
consciente da personalidade, são reprimidos e, por isso, mais ou
menos inconscientes. O medo corresponde ao desejo reprimido.

É óbvio que esta interpretação desvaloriza gravemente o su-   129
premo ideal de amizade da paciente. No momento presente da
análise, ela já não teria levado a mal essa interpretação. Algum
tempo atrás, certos fatos já a haviam convencido, praticamente,
da existência de uma tendência homossexual, de tal modo que
já lhe era possível reconhecê-lo francamente, apesar de isso
não lhe ser muito agradável. Se eu lhe tivesse comunicado a
interpretação no atual estágio do tratamento, já não teria encontrado nela resquícios de resistência. O mais doído dessa
tendência importuna já estava superado pelo reconhecimento.
Mas ela teria me interpelado assim: "Por que perder tempo
ainda com análise desse sonho? Só repete as mesmas coisas
que já sei há muito tempo". Na realidade, essa interpretação

---

4. Enfoque análogo é dado a esses dois tipos de interpretação no livro que
recomendo de SILBERER, H. *Probleme der Mystik und ihrer Symbolik*. Viena/
Leipzig: [s.e.],1914.

5. Dr. Aigremont (Pseudônimo de Siegmar, Barão von Schultze-Galléra), *Fuss
und Schuh-Symbolik und -Erotik*.

nada acrescenta à paciente; por isso, não é interessante nem eficaz. No início do tratamento teria sido simplesmente impossível fazer tal interpretação, pois em hipótese alguma o excessivo pudor da paciente a teria aceito. O "veneno" do reconhecimento tinha que ser instilado com a maior cautela, em doses mínimas, pouco a pouco, até penetrar sua razão. No momento em que a interpretação analítica ou causal-redutiva não trouxer novidades, tornando-se repetitiva, torna-se oportuno modificar o método interpretativo. No caso em questão, o processo causal--redutivo apresenta certos inconvenientes. Em primeiro lugar, não leva em exata consideração as ideias da paciente. Por exemplo, a associação da doença com "câncer" é ignorada. Em segundo lugar, o fato específico da escolha do símbolo não é esclarecido. Por que a amiga-mãe tem que se apresentar justamente como caranguejo? Teria sido muito mais plástico e estético se fosse uma ninfa ("em parte ela o atraía, em parte ele submergia...") ou então um pólipo, um dragão, peixe ou cobra teriam servido do mesmo jeito. Em terceiro lugar, o processo causal-redutivo esquece que o sonho é um fenômeno subjetivo. Consequentemente, uma interpretação exaustiva nunca poderá relacionar o caranguejo apenas com a amiga ou com a mãe, mas tem que atribuí-lo também ao sujeito, à própria sonhadora. Esta é o sonho todo: ela é o rio, a travessia e o caranguejo, isto é, esses elementos específicos são expressões de condições e tendências existentes no inconsciente do sujeito.

130 Por isso introduzi a seguinte terminologia: a interpretação em que as expressões oníricas podem ser identificadas com objetos reais é por mim denominada *interpretação em nível do objeto*. A esta interpretação contrapõe-se a que refere ao próprio sonhador cada um dos componentes do sonho; por exemplo, todas as pessoas que nele aparecem. A este procedimento dei o nome de *interpretação em nível do sujeito*. A interpretação em nível do objeto é *analítica*, pois decompõe o conteúdo do sonho em complexos de reminiscências que se referem a situações externas. A interpretação em nível do sujeito, ao invés, é *sintética*, pois desliga das circunstâncias externas os complexos de reminiscências em que se baseia e os interpreta como tendências ou partes do sujeito, incorporando-os novamente ao sujeito. (Numa vivência eu não experimento apenas o objeto, mas a mim mesmo, em primeiro lugar; mas isso só quando tomo consciência da minha experiência.) Neste caso todos os conteúdos do sonho são concebidos como símbolos de conteúdos subjetivos.

O *processo de interpretação sintético ou construtivo*[6] consiste, 131
portanto, na interpretação em nível do sujeito.

A interpretação sintética (construtiva)

A paciente não tem consciência de que o obstáculo a ser superado 132
está dentro dela mesma: é uma zona limítrofe, difícil de transpor, que se interpõe à continuidade do processo. No entanto, é possível transpor a fronteira. Mas nesse exato momento surge a iminência de um perigo inesperado e muito peculiar: algo de "animal" (desumano ou sobre-humano) que anda para trás e vai para o fundo, ameaçando puxar para baixo também a sonhadora e sua personalidade. Esse perigo assemelha-se a uma doença mortal que se forma em algum lugar, secretamente, e é incurável (prepotente). Segundo a imaginação da cliente, o empecilho é a amiga; é ela que a puxa para baixo. Enquanto não se livrar dessa crença, ela vai ter que influenciar a amiga: "puxá-la para cima", ensinar a melhorá-la; vai ter de fazer o esforço inútil e ineficaz de idealizar meios de impedir que seja puxada para baixo. É evidente que a amiga faz esforços idênticos do seu lado, porque se encontra na mesma situação que a paciente. Como galos de briga, as duas se atacam na tentativa de voar uma por cima da cabeça da outra. Quanto mais alto uma pula, tanto mais a outra precisa atormentar-se para acompanhá-la. Por quê? Porque ambas pensam que o problema está na outra, no objeto. A interpretação em nível do sujeito é a salvação nessa loucura completa. O sonho está mostrando à paciente que há algo dentro dela que a impede de transpor a fronteira, isto é, de passar de uma situação ou atitude para outra. A interpretação da mudança de lugar como correspondendo a uma mudança de atitude ampara-se em certas línguas primitivas, que para dizerem, por exemplo, "estou a ponto de ir", empregam a expressão "estou no lugar da ida". A compreensão da linguagem onírica requer naturalmente abundantes paralelos extraídos da psicologia da simbologia primitiva e histórica, porque os sonhos provêm essencialmente do inconsciente e este contém

---

6. Cf. *Der Inhalt der Psychose*. 2. ed. Viena: [s.e.], 1914, aditamento [OC 13]. Em outra parte, chamei esse processo de método "hermenêutico". Cf. *Die Struktur des Unbewussten*, anexo a este volume.

as possibilidades residuais das funções de todas as épocas anteriores da história da evolução. Neste sentido, temos o clássico exemplo da "passagem da grande água" nos oráculos do *I Ging*[7].

133 É evidente que tudo depende agora do que se entende pela figura do caranguejo. Antes de mais nada, sabemos que é algo que se manifesta na amiga (porque relaciona o caranguejo com a amiga) e que também se manifestava na mãe. Saber se essa qualidade é real na mãe e na amiga é irrelevante no que diz respeito à paciente. A situação só se modificará se ela própria se modificar. A mãe não pode mais mudar, pois está morta. Nem se pode exigir que a amiga mude; se quiser mudar, o problema é dela. O fato de que a qualidade em questão já se manifestava na mãe é indício de que são coisas da infância. Qual o segredo da relação da paciente com a mãe e com a amiga? Pois bem, o que têm em comum é uma exigência veemente e exuberante de amor, uma paixão que a subjuga inteiramente. Essa exigência tem a característica do desejo infantil dominador, que é cego, como se sabe. Trata-se aqui de uma parte da libido não educada, não diferenciada e não humanizada, de caráter ainda impulsivo, coercitivo; logo, ainda não domesticado. O símbolo do *animal* é o mais apropriado para essa parte da libido. Mas por que o animal tem que ser justamente um caranguejo? A paciente o associa com o câncer, enfermidade (razão da morte de X, que morreu mais ou menos na idade atual da paciente). Logo, poderia tratar-se vagamente de uma identificação com X. Por isso precisamos investigar. A paciente contou o seguinte a respeito de X: enviuvou cedo, era extremamente jovial e cheia de vivacidade. Teve uma série de aventuras amorosas, sobretudo com um homem estranhíssimo, um artista de grande talento que a paciente conhecia pessoalmente e que lhe causava uma impressão ao mesmo tempo esquisita, fascinante e sinistra.

134 Uma identificação só pode produzir-se quando for baseada numa semelhança inconsciente, não realizada. Qual seria então a semelhança da nossa paciente com X? Neste ponto pude lembrá-la de uma série de fantasias antigas e sonhos que tivera. Estes haviam mostrado nitidamente que ela também tinha uma veia muito leviana, mas sempre

---

7. WILHELM, R. (org.). *I Ging. Das Buch der Wandlungen*. Iena: [s.e.], 1924.

Psicologia do inconsciente

temerosamente reprimida pelo receio de que essa tendência (sentida como tenebrosa) a seduzisse para uma vida dissoluta. Ganhamos assim mais uma contribuição fundamental para o conhecimento do elemento "animal". Trata-se novamente da mesma ânsia não domesticada, impulsiva, visando, neste caso, os homens. Isso nos leva a compreender mais uma razão por que não pode largar a amiga: precisa agarrar-se a ela para não sucumbir a essa outra tendência, que lhe parece bem mais perigosa. Isso a retém num nível homossexual infantil, que, no entanto, lhe serve de *defesa*. (A experiência nos ensina que este é um dos motivos mais fortes que impedem o rompimento de relações inadequadas e infantis.) Mas nisso também está sua saúde, o germe de sua personalidade futura e sadia, que não se intimida diante das iniciativas a tomar na vida.

Mas foi outra a conclusão que a cliente tirou do destino de X. 135 A doença fatal e súbita e sua morte prematura representam para ela um castigo do destino pela vida leviana dessa mulher (que a paciente, embora sem reconhecê-lo, invejara). A atitude moralizante assumida pela paciente quando X morreu escondia uma satisfação malévola, muito "humana", "demasiado humana". Como castigo, o exemplo de X a fazia recuar agora, medrosamente, diante da vida e do seu desenvolvimento evolutivo, torturando-a com a sobrecarga de uma amizade inadequada. Evidentemente, todas essas conexões não estavam claras para ela, pois, se assim não fosse, nunca teria agido dessa forma. Com base no material, foi fácil provar o acerto dessa constatação.

Mas com isso não estava encerrada a história dessa identificação. 136 A paciente só mais tarde salientou que X tinha notáveis dons artísticos, somente desenvolvidos após a morte do marido, que também a tinham conduzido à amizade com o artista. Ao que parece, as causas essenciais da identificação ligam-se a esta passagem, se nos lembrarmos daquilo que a paciente contara: o grande e estranho fascínio que sobre ela exercia o artista. Tal fascínio *nunca* parte exclusivamente de uma pessoa para a outra, mas é um fenômeno de relação para o qual são necessárias duas pessoas, já que a pessoa fascinada precisa ter em si uma disposição correspondente. Mas a disposição tem que ser inconsciente, porque, se assim não for, não se produz o efeito fascinador. O fascínio é um fenômeno compulsivo, desprovido de motivação consciente, isto é, não é um processo volitivo, mas um fenômeno que surge do inconsciente e se impõe à consciência, compulsivamente.

137 Logo, é de se supor que a paciente possui uma disposição semelhante (inconsciente) à do artista. Portanto, também se identifica com um homem[8]. Lembramo-nos da análise do sonho, do trecho em que há uma insinuação ao "masculino" (o pé). Na realidade, a paciente desempenha um papel masculino em relação à amiga: é ela a ativa, a que sempre dá o tom e manda na amiga e, de vez em quando, também a obriga a fazer coisas que só ela está desejando. A amiga é declaradamente feminina, inclusive na aparência, ao passo que a paciente tem um tipo um tanto masculino. Sua voz também é mais forte e mais grossa do que a da amiga. X é descrita como uma mulher muito feminina, comparável à amiga em suavidade e amabilidade, na opinião da paciente. Isso nos leva a uma nova pista. A paciente representa, sem dúvida, o papel do artista em relação a X, mas o transfere à amiga. Assim se realiza, inconscientemente, a identificação com X e sua amante. Desta forma, tem uma chance de viver sua veia leviana, tão medrosamente reprimida. Mas não a vive conscientemente: ela é representada por essa tendência inconsciente, isto é, é possuída pelo papel de intérprete inconsciente de seu complexo.

138 Assim ficamos sabendo muito mais a respeito do caranguejo. Ele representa a psicologia interior dessa parte não domada da libido. As identificações inconscientes sempre a comprometem de novo. Elas têm esse poder porque são inconscientes, e assim não são passíveis de compreensão e coração. O caranguejo é, portanto, o símbolo dos conteúdos inconscientes. Estes fazem tudo para que a paciente não desista da relação com a amiga (o caranguejo anda para trás). Mas a relação com a amiga significa doença, pois foi ela que a tornou nervosa.

139 Para ser exato, esta passagem ainda pertencia à análise em nível do objeto. Mas não devemos esquecer que só chegamos a este conhecimento através da aplicação *em nível do sujeito*. Isto prova que se trata de um importante princípio heurístico[9]. Poderíamos ficar satisfeitos

---

8. Não ignoro que a razão mais profunda da identificação com o artista é certo talento criativo da cliente.

9. Heurístico = de grande valor para descobrir a verdade.

Psicologia do inconsciente 101

com o resultado obtido, mas é preciso submeter-se às exigências da teoria. Nem todas as associações da cliente foram levadas em conta, nem a significação da escolha do símbolo suficientemente esclarecida.

Retomemos a observação da paciente de que o caranguejo estava 140 escondido debaixo da água, sem que o tivesse visto antes. Isto porque antes ela não via as relações inconscientes que acabam de ser esclarecidas; estavam ocultas debaixo da água. No entanto, o rio é o obstáculo que a impede de atravessar. Pois eram justamente essas relações inconscientes, que a prendiam à amiga, que a impediam. O obstáculo era o inconsciente. A água significa, portanto, o inconsciente, ou melhor, a *inconsciência*, o estar oculto. O caranguejo também é algo de inconsciente, mas na qualidade de conteúdo dinâmico oculto no inconsciente.

VII
Os arquétipos do inconsciente coletivo

141   O trabalho que agora temos pela frente é elevar as relações já compreendidas em *nível do objeto* para o *nível do sujeito*. Com essa finalidade, temos que libertá-las do objeto e considerá-las como representações simbólicas de complexos subjetivos da paciente. Logo, ao tentarmos interpretar a figura de X em nível do sujeito, temos que concebê-la de certa forma como personificação de uma parte da alma, ou seja, de um determinado aspecto da sonhadora. X torna-se nesse caso uma imagem daquilo que a paciente gostaria de ser e ao mesmo tempo rejeita. X representa, portanto, uma *futura imagem unilateral* do caráter da paciente. O artista de qualidades sinistras se deixa elevar de imediato em nível do sujeito, já que o elemento dom artístico, adormecido na paciente, está preenchido por X. Teríamos razão em dizer que o artista é a imagem do masculino, não conscientizado pela paciente, e que, por este motivo, fica no inconsciente[1]. Tanto isto é verdade que a cliente está realmente equivocada em relação a si mesma a esse respeito. Acha-se uma pessoa particularmente delicada, sensível e feminina; nem um pouco masculina. Por isso reagiu com irritação e surpresa, quando pela primeira vez lhe chamei a atenção para os seus traços masculinos. Todavia, o fator assombro fascínio não condiz com os traços masculinos que encontramos nela. À primeira vista este aspecto está completamente ausente. Mas,

---

1. Denominei esse aspecto masculino na mulher *animus*, e o aspecto feminino correspondente no homem, *anima*. Cf. § 296s., deste volume. Cf. tb. JUNG, E. Ein Beitrag zum Problem des Animus. *In*: JUNG, C.G. *Wirklichkeit der Seele*. Zurique: [s.e.], 1934, p. 296s.

Psicologia do inconsciente   103

a despeito disso, tem que estar em algum lugar, pois foi ela mesma
que produziu essa sensação.

Quando o aspecto procurado não pode ser encontrado dire-   142
tamente no sonhador, então (diz a experiência), sempre é *projetado*. Mas em quem? Estará no artista? A cliente não o via há muito
tempo. É improvável que ele tenha levado a projeção consigo, uma
vez que ela está ancorada no inconsciente da paciente. Além do
mais, não tivera nenhuma relação pessoal com esse homem, apesar
do fascínio que ele exercia sobre ela. No caso, tratava-se mais de
uma fantasia. Não, semelhante projeção é sempre atual, quer dizer,
é preciso que haja alguém, em algum lugar, que esteja recebendo a
projeção desse conteúdo. Caso contrário, ela o sentiria dentro de si.

Retornamos para o nível do objeto; pois não há outro jeito de en-   143
contrar essa projeção. A paciente não conhece homem algum que
seja importante para ela, afora eu mesmo, que, sendo seu médico,
muito significo. Logo, supõe-se que tenha projetado esse conteúdo
em mim. No entanto, até esse momento, eu nada percebera. Mas
os elementos sofisticados nunca aparecem às claras. Sempre vêm
à tona fora dos horários da sessão. Por isso, perguntei com toda
cautela: "Diga-me, como é que a senhora me vê, quando não estou a seu lado? Sou sempre o mesmo?" Ela: "Quando estou aqui
com o senhor, acho-o bem agradável, mas quando estou sozinha,
ou quando deixo de vê-lo por algum tempo, a sua imagem se mo-
difica; às vezes torna-se estranho. Ora vejo-o inteiramente ideali-
zado, ora, bem diferente". Neste ponto, interrompeu-se. Ajudei:
"Sei; como é que é?" Ela: "Às vezes o senhor me parece perigoso,
sinistro, como um feiticeiro mau, ou um demônio. Nem sei como
posso pensar essas coisas! O senhor não é assim..."

Pronto. Aí estava a transferência. O conteúdo estava em mim,   144
e por isso, ausente do inventário de sua alma. Assim fizemos o reconhecimento de mais um ponto essencial. Eu estava contaminado
(identificado) com o artista. Em sua fantasia inconsciente, ela estava
diante de mim, no papel de X. Foi fácil provar-lhe, recorrendo aos
materiais previamente descobertos (fantasias sexuais). Mas, nesse
caso, eu também sou o obstáculo – o caranguejo que a impede
de atravessar. Se nos limitássemos ao nível do objeto, seria difícil
encontrar uma solução. De que adiantaria se eu declarasse: "Mas

não tenho nada a ver com esse artista; não sou sinistro, nem bruxo, nem nada"? A paciente não ligaria a mínima, pois sabe disso tão bem quanto eu. A projeção não se alteraria; o verdadeiro obstáculo ao prosseguimento da análise era eu.

145   Chegado a este ponto, muito tratamento empaca. Pois não há outro modo de escapar das garras do inconsciente, a não ser que o médico se coloque pessoalmente em nível do sujeito, isto é, se decida por uma imagem. Uma imagem do quê? Aí é que está a maior dificuldade. "Ora", dirá o médico, "uma imagem de alguma coisa que está no inconsciente da paciente" – e ela responderá: "O quê? Homem? Eu? E ainda mais um homem tenebroso, mal-assombrado, bruxo perverso, demônio? Nunca, jamais!, ah!, não, essa não! Que grande asneira! Quem pode ser tudo isso, é o senhor!" E com razão reagirá assim. Seria um absurdo grande demais querer transferir tais coisas para a sua pessoa. Não pode permitir que a transformem em demônio; nem tampouco o médico. Nos seus olhos perpassa uma faísca; no rosto, uma expressão zangada, num lampejo de resistência desconhecida, nunca vista. Por um instante chego a recear um lamentável desencontro. Que será? Uma decepção amorosa? Sente-se ofendida, desvalorizada? Por trás de seu olhar espreita a fera, algo de realmente demoníaco. Será mesmo um demônio? Ou sou eu essa fera ou demônio diante da vítima aterrorizada, que procura defender-se do meu feitiço mau, com todas as forças animais do desespero? Quem sabe tudo isso é uma tolice, uma fantástica obsessão. Em que fui mexer? Há uma nova corda a vibrar? Mas tudo não passa de um momento. O rosto da paciente readquire sua expressão tranquila e, como que aliviada, ela diz: "É estranho – tive agora a sensação de que o senhor tocou no ponto; naquilo que nunca consegui superar em relação à minha amiga. É uma sensação terrível, uma coisa desumana, má, perversa. Uma sensação difícil de descrever de tão medonha e que, no momento, me enche de ódio e desprezo pela minha amiga, e que não consigo evitar, apesar do enorme esforço que faço".

146   Essas palavras dão sentido ao que se passou. Assumi o lugar da amiga. A amiga está superada. O gelo da repressão foi rompido. A paciente entrou numa nova fase de sua existência, sem saber. Sei perfeitamente que agora tudo o que havia de doloroso e ruim na relação com a amiga vai cair em cima de mim; o que havia de bom, também,

Psicologia do inconsciente

certamente, mas no mais violento conflito com a misteriosa incógnita que a paciente nunca conseguira superar. Entramos numa nova fase da transferência. Ainda não transparecem indícios claros do que poderia ser o X projetado em mim.

Uma coisa está certa: se a cliente empacar nessa forma de transferência, corre-se o risco dos piores desentendimentos, pois terá que tratar-me como tratava a amiga, e o X vai estar sempre por aí, pondo equívocos em tudo. E vai acontecer o seguinte: vai ver o demônio em mim, porque não será capaz de aceitar que a coisa está nela. Assim são produzidos todos os conflitos insolúveis. Um conflito insolúvel significa, antes de mais nada, estancamento da vida.

Haveria ainda outra possibilidade: a paciente aplica seus velhos meios de defesa contra essa nova dificuldade, sem fazer caso do X misterioso, isto é, reprime de novo, em vez de manter-se consciente, o que é condição básica, indispensável ao método. Nada se ganha com isso. Muito pelo contrário, pois agora a ameaça vem do inconsciente, e isso é bem pior.

Cada vez que surgir uma rejeição desse tipo, é preciso verificar se se trata realmente de uma qualidade pessoal ou não. "Feiticeiro" e "demônio" poderiam representar qualidades que, logo se vê, *não caracterizam qualidades humanas, pessoais, mas mitológicas.* "Feiticeiros" e "demônios" são figuras mitológicas, que exprimem a sensação desconhecida, "desumana" que se apoderou da paciente. Logo, esses atributos não são imputáveis a uma pessoa humana, apesar de geralmente serem projetados em outras pessoas, na forma de juízos *intuitivos*, sem comprovação crítica e sempre em prejuízo da relação humana.

Tais atributos sempre indicam que são conteúdos projetados do inconsciente suprapessoal ou coletivo. Porque "demônios" não são reminiscências pessoais, nem tampouco "maus feiticeiros", muito embora todo mundo já tenha lido ou ouvido histórias a respeito. O fato de se ter ouvido falar de cascavéis não vai afetar-nos a ponto de pensarmos imediatamente em cascavéis, quando uma lagartixa nos assustar com seu ruído. Da mesma forma, não podemos dizer de qualquer pessoa que ela é um demônio, a não ser que coisas maléficas estejam ligadas a ela. Mas se isso fosse um aspecto real do caráter da pessoa, ele seria mostrado abertamente, e essa pessoa seria verdadeiramente um demônio, uma espécie de lobisomem. Mas isso é mitologia--psique coletiva e não individual. Na medida em que fazemos parte da psique coletiva histórica, através do nosso inconsciente, é natural que vivamos inconscientemente num mundo de lobisomens, demônios, feiticeiros e tudo mais, porque, antes de nós, em todos os tempos, essas coisas afetaram o mundo violentamente. É assim que também temos parte com os deuses e os demônios, com os santos e os facínoras. No entanto, seria a maior insensatez atribuir-se essas potencialidades existentes no inconsciente. Por isso é de rigor estabelecer-se a separação mais aguda possível entre o que é de responsabilidade pessoal e o impessoal. É óbvio que isso não significa, em absoluto, negar a existência, talvez extremamente ativa, dos conteúdos do inconsciente coletivo. Mas, na qualidade de conteúdos do inconsciente coletivo, confrontam-se com a psique individual e diferenciam--se dela. Naturalmente, essas coisas nunca foram separadas na consciência individual do homem ingênuo porque os deuses, os demônios etc., não eram compreendidos por ele como projeções da alma, como conteúdos do inconsciente, mas como realidades indiscutíveis. Só a partir do Iluminismo é que se passou a negar a existência real dos deuses e a considerá-los como projeções. Foi o fim dos deuses, mas não da função psíquica correspondente, que ficou reprimida no inconsciente. Isso fez com que o próprio homem ficasse intoxicado por um excesso de libido, antes aplicada ao culto da imagem divina. A desvalorização e repressão de uma função tão importante como a religiosa tem, naturalmente, enormes repercussões na psicologia do indivíduo. Pelo refluxo dessa libido, o inconsciente se fortalece extraordinariamente, passando a exercer uma influência colossal sobre a consciência, através dos seus conteúdos arcaicos coletivos. O período do Iluminismo encerrou-se, como é sabido, com os horrores da Revolução Francesa. Nos dias de hoje, estamos presenciando novamente o levante das forças destrutivas inconscientes da psique coletiva. O resultado foi um morticínio em massa, sem precedentes[2]. Pois o que o inconsciente buscava era exatamente isso. Na

---

2. Isso foi escrito em 1916. Inútil observar que ainda hoje é válido.

Psicologia do inconsciente

fase precedente, a posição do inconsciente tinha sido indevidamente fortalecida pelo racionalismo da vida moderna, que desvalorizava tudo quanto era irracional, e submergindo, assim, a função do irracional no inconsciente. Uma vez que esta função passe para o inconsciente, sua ação torna-se tão devastadora e irresistível como uma doença incurável, cujo foco não pode ser extirpado, porque é invisível. E isso compele o indivíduo ou o povo a viver a irracionalidade. Não só a vivê-la, como a aplicar todo o seu idealismo, todo o seu engenho para tornar a loucura da irracionalidade tão perfeita quanto possível. Em escala menor, é o que podemos observar na nossa paciente, que fugia da opção de vida que lhe parecia irracional (a amiga X), para viver o mesmo, patologicamente, na relação conflituosa com a amiga.

Não há outra solução a não ser *reconhecer o irracional como função psíquica necessária, porque sempre presente*, e considerar os seus conteúdos, não como realidades concretas (o que seria um retrocesso!), mas como *realidades psíquicas* – realidades, uma vez que são *atuantes*, isto é, *verdadeiras*. O inconsciente coletivo é uma figuração do mundo, representando a um só tempo a sedimentação multimilenar da experiência. Com o correr do tempo, foram-se definindo certos traços nessa figuração. São os denominados *arquétipos* ou *dominantes* – os dominadores, os deuses, isto é, configurações das leis dominantes e dos princípios que se repetem com regularidade à medida que se sucedem as figurações, as quais são continuamente revividas pela alma[3]. Na medida em que essas figurações são retratos relativamente fiéis dos acontecimentos psíquicos, os seus arquétipos, ou melhor, as características gerais que se destacam no conjunto das repetições de experiências semelhantes, também correspondem a certas características gerais de ordem física. Este é o motivo pelo qual é possível transferir figurações arquetípicas, como conceitos ilustrativos da experiência diretamente ao fenômeno físico – ao *éter*, o elemento arcaico do sopro ou da alma, representado na imaginação geral, ou à *energia*, a força mágica – outra ideia universalmente difundida.

---

3. Como já indicamos acima, os arquétipos podem ser interpretados como efeito e sedimento de experiências realizadas, mas também se manifestam como fatores que provocam tais experiências.

152   Devido ao seu parentesco com as coisas físicas[4], os arquétipos quase sempre se apresentam em forma de projeções, e quando estas são inconscientes, manifestam-se nas pessoas com quem se convive, subestimando ou sobre-estimando-as, provocando desentendimentos, discórdias, fanatismos e loucuras de todo tipo. Não é outra a razão pela qual se diz que "fulano endeusou sicrano" ou "fulano de tal é a *'bête noire'* de X". Esta é a origem dos mitos modernos, em outras palavras, dos boatos fantásticos, das mil e uma desconfianças e preconceitos. Os arquétipos são, portanto, coisas extremamente importantes, de efeito considerável, e que merecem toda a nossa atenção. Não devem ser simplesmente reprimidos, mas, devido ao perigo de contaminação psíquica, convém levá-los muito a sério. Como quase sempre se apresentam sob a forma de projeções, e estas só são possíveis quando alguém as recebe, avaliar e julgá-las é extremamente difícil. Pois bem, se alguém projeta o diabo no outro, é porque essa pessoa tem algo em si que possibilita a fixação da imagem. Mas nem por isso essa pessoa tem que ser um diabo. Muito pelo contrário. Pode até ser uma pessoa boníssima, mas é incompatível com a pessoa que projeta, o que tem sobre elas um efeito "diabólico" (isto é, separador). Nem a pessoa que projeta precisa ser diabo (embora deva reconhecer que dentro dela o diabólico também existe) como ainda por cima foi enganada por ele, uma vez que o projeta. Mas nem por isso é "diabólica"; pode ser uma pessoa tão correta quanto a outra. Surgindo o diabo, isso significa que essas duas pessoas são incompatíveis (pelo menos agora e num futuro próximo), razão pela qual o inconsciente provoca uma ruptura, afastando-as uma da outra. O diabo é uma variante do arquétipo da sombra, isto é, do aspecto perigoso da metade obscura, não reconhecida pela pessoa.

153   Outro arquétipo, com o qual deparamos quase que regularmente nas projeções de conteúdos coletivos do inconsciente, é o "demônio mágico", de efeito predominantemente sinistro. Bons exemplos são os personagens de Meyrink: o *Golem*, ou o feiticeiro tibetano de *Fledermäusen* (Morcegos), que desencadeia a guerra mundial pela magia. Evidentemente, Meyrink não aprendeu isso comigo. Foi

---

4. Cf. Die Struktur der Seele. *In*: JUNG, C.G. *Seelenprobleme der Gegenwart. Op. cit.*, p. 149s. [OC 8, § 331s.].

Psicologia do inconsciente

uma produção espontânea do seu inconsciente, que deu forma e palavra a uma sensação semelhante à que a minha paciente projetara em mim. O tipo feiticeiro também aparece no *Zaratustra*; no *Fausto*, é o próprio herói.

A imagem desse demônio deve pertencer a um dos estágios mais elementares e arcaicos do conceito de deus. É o tipo do primitivo feiticeiro da tribo ou xamã, personalidade dotada de poderes excepcionais, carregada de força mágica[5]. Frequentemente aparece como uma figura de pele *escura*, de *tipo mongoloide*, quando representa um aspecto negativo, eventualmente perigoso. Às vezes é difícil, quase impossível, diferenciar essa figura da sombra; mas quanto mais dominante for a nota mágica, mais fácil a diferenciação. Isso não é de pouca importância, visto que pode revestir-se do aspecto muito positivo do *velho sábio*[6].

O conhecimento dos arquétipos significa um avanço importante. O efeito mágico ou demoníaco sobre a pessoa do outro desaparece, porque a sensação perturbadora é restituída a uma dimensão definitiva do inconsciente coletivo. Em compensação, nos é proposta uma tarefa totalmente nova: a questão de como e de que maneira o eu deve lidar com esse não eu psicológico. Será que basta constatar a existência atuante dos arquétipos, abandonando o resto à própria sorte?

Assim criaríamos um estado de dissociação permanente, isto é, uma cisão entre a psique individual e a psique coletiva. De um lado, teríamos o eu diferenciado e moderno, de outro, uma espécie de cultura negra, um estado primitivo. O estado real e atual das coisas ficaria assim exposto a uma nítida separação: por cima, a crosta da civilização, por baixo a besta de pele escura. Tal dissociação exige, contudo, uma síntese imediata, e o desenvolvimento daquilo que não está desenvolvido. É imprescindível reunificar essas duas partes; em caso contrário,

154

155

156

---

5. A ideia do xamã, que frequenta os espíritos e é dotado de forças mágicas, está tão profundamente arraizada entre muitos primitivos, que chegam até a supor que também há "doutores" no meio dos animais. Os Achumawis do norte da Califórnia falam de coiotes comuns e de "coiotes doutores".

6. Cf. Über die Archetypen des kollektiven Unbewussten. *In*: JUNG, C.G. *Von den Wurzeln des Bewusstseins*. [s.l.]: [s.e.], 1954 [OC 9/1]. Cf. tb. JUNG, C.G. *Bewusstes und Unbewusstes*. [s.l.]: Fischer Bücherei, 1957.

não haveria dúvida quanto ao resultado: o inevitável aniquilamento do primitivo, pela repressão. O único meio de evitá-lo é que uma religião válida, ainda viva, proporcione condições satisfatórias para que o homem primitivo se exprima através de uma simbologia fartamente desenvolvida. Em seus dogmas e ritos, essa religião necessita de imaginação e ação, inspiradas no que há de mais arcaico. Isso se dá no catolicismo: é sua maior força, mas também o seu maior perigo.

157 Antes de entrar na nova questão da reunificação, voltemos ao sonho que nos serviu de base. Essa explanação deu-nos uma melhor compreensão dele, sobretudo de uma de suas partes essenciais: o *medo*. Esse medo é um medo arcaico dos conteúdos do inconsciente coletivo. Vimos que a identificação da cliente com X revela simultaneamente sua relação com o artista que a perturba. Ficou demonstrado que o médico foi identificado com o artista e, além disso, passando para o nível do sujeito, eu era uma imagem da figura do feiticeiro em seu inconsciente.

158 O símbolo do caranguejo abrange tudo isso no sonho: o símbolo daquele que retrocede. O caranguejo é o conteúdo vivo do inconsciente, que não pode ser simplesmente esgotado ou anulado por uma análise em nível do objeto. O que pudemos conseguir foi o *desmembramento dos conteúdos mitológicos da psique coletiva dos objetivos da consciência e sua consolidação como realidades psíquicas exteriores à psique individual*. Através do ato do reconhecimento, "estabelecemos" a realidade dos arquétipos, ou mais exatamente, postulamos a existência psíquica desses conteúdos, com base no reconhecimento. É preciso constatar, expressamente, que não se trata unicamente de conteúdos reconhecíveis, mas de sistemas psíquicos transubjetivos, amplamente autônomos, e, portanto, submetidos só muito condicionalmente ao controle do consciente e provavelmente até lhe escapando, em grande medida.

159 Enquanto o inconsciente coletivo, indiferenciado, ficar acoplado à psique individual, nenhum progresso se fará, nem a fronteira será transposta – para usar a linguagem do sonho. Mas se a sonhadora se dispõe a atravessar a linha fronteiriça, o que antes era inconsciente se agita, agarra-a e a retém. O sonho e seu material caracterizam o inconsciente coletivo, por um lado, como um animal rasteiro

Psicologia do inconsciente

que vive escondido no fundo da água, e por outro, como uma doença perigosa que, quando operada a tempo, pode ser curada. Já foi visto a que ponto essa caracterização é exata. Principalmente o símbolo do animal aponta, como já dissemos, para o extra-humano, para o suprapessoal; pois os conteúdos do inconsciente coletivo são, não só os resíduos de modos arcaicos de funções especificamente humanas, como também os resíduos das funções da sucessão de antepassados animais do homem, cuja duração foi infinitamente maior do que a época relativamente curta do existir especificamente humano[7]. Tais resíduos, ou – para usar a expressão de Semon – os *engramas*, quando ativos, têm a propriedade não só de interromper o desenvolvimento, como também de fazê-lo regredir, enquanto não estiver consumida toda a energia ativada pelo inconsciente coletivo. Mas a energia será recuperada, quando pudermos tomar consciência dela pela confrontação consciente com o inconsciente coletivo. As religiões estabeleceram de modo concretista esse circuito energético, através da relação cultual com os deuses. Mas esta solução fica fora de cogitação para nós por ser grande demais a sua contradição com o intelecto e sua moral de reconhecimento; além disso foi, historicamente, totalmente superada pelo cristianismo. Mas quando concebemos as figuras do inconsciente como fenômenos ou funções da psique coletiva, não entramos em contradição com a consciência intelectual. É uma solução racionalmente aceitável. Com isso adquirimos também a possibilidade de lidar com os resíduos ativados da nossa história antropológica, o que permitirá que se transponha a linha divisória anteriormente existente. Por isso, chamei-lhe *função transcendente* (cf. n. 121), porque equivale a uma evolução progressiva para uma nova atitude.

São nítidos os paralelos com o mito dos heróis. O típico combate do herói contra o monstro (o conteúdo inconsciente) trava-se, não raro, à margem da água, ou também num vau, que é o caso dos mitos

160

---

7. Hans Ganz, em sua dissertação filosófica sobre o inconsciente em Leibniz, *Das Unbewusste bei Leibniz in Beziehung zu modernen Theorien*. Zurique: [s.e.], 1917, recorreu à teoria do engrama de Semon para explicar o inconsciente coletivo. O conceito de Semon da *"mneme"* antropológica cobre apenas parcialmente o conceito por mim elaborado do inconsciente coletivo. (Cf. SEMON, R. *Die Mneme als erhaltendes Prinzip im Wechsel des organischen Geschehens*. Leipzig: [s.e.], 1904.)

dos pele-vermelha, conhecidos através do *Hiawatha* de Longfellow. O herói sempre é engolido pelo monstro (tal como Jonas) na batalha decisiva. Isto foi mostrado por Frobenius, que coligiu considerável material a respeito. No interior do monstro, o herói começa a ajustar contas com ele. Enquanto o animal nada em direção ao nascente, levando-o em seu bojo, o herói corta fora uma parte essencial das vísceras do monstro, como o coração, indispensável à vida (a energia, essencial à ativação do inconsciente). Depois de matar o monstro, este é levado à deriva, até a terra firme; o herói sai, renascido depois da *viagem noturna pelo mar*[8] (função transcendente), frequentemente acompanhado por todos aqueles que o monstro já havia devorado antes. Restabelece-se o estado normal anterior, pois o inconsciente, privado de sua energia, não ocupa mais uma posição preponderante. O mito ilustra, visualmente, o problema que preocupa a nossa paciente[9].

161   Aqui tenho que salientar um fato importante, que o leitor já deve ter notado: neste sonho, o inconsciente coletivo apresenta-se sob um aspecto negativo, como algo perigoso, prejudicial. O motivo é a vida da paciente, tumultuada de fantasias, que a sufocam de tanta exuberância, o que deve estar relacionado com seus dons de escritora. O exagero da fantasia, contudo, é sintoma de doença: a paciente se detém excessivamente no fantástico, deixando a vida real passar ao largo. Um acréscimo de mitologia até seria perigoso para ela, porque ainda não viveu uma boa parte da vida exterior. Ainda não viveu suficientemente a vida real para poder arriscar-se a uma inversão do ponto de vista. O inconsciente coletivo tomou-a de assalto e ameaçava retirá-la de uma realidade insatisfatoriamente preenchida. Em conformidade com o sentido do sonho, o inconsciente coletivo devia ser-lhe apresentado como algo de perigoso pois, caso contrário, de bom grado ela o teria escolhido como refúgio contra as exigências da vida.

---

8. Como é formulado por FROBENIUS, L. *Das Zeitalter des Sonnengottes*, I. Berlim: [s.e.], 1904.

9. Os leitores interessados em aprofundar o problema dos contrários e sua solução, bem como a atividade mitológica do inconsciente, queiram referir-se ao meu livro *Wandlungen und Symbole der Libido*, nova edição em 1952: *Symbole der Wandlung* [OC 5]; além de *Psychologische Typen* [OC 6]; e *Über die Archetypen des kollektiven Unbewussten. Op. cit.*

Psicologia do inconsciente 113

Na apreciação de um sonho é importantíssimo notar *como* as fi- 162
guras são introduzidas. Assim, por exemplo, o caranguejo que per-
sonifica o inconsciente é negativo, na medida em que "nada para
trás", além de prender a sonhadora no momento decisivo. Iludido
pelos "mecanismos do sonho" imaginados por Freud, como se fossem transposições, inversões e coisas semelhantes, acreditava-se
que poderia ser o sonho interpretado independentemente de sua
"fachada", já que ela encobria os seus verdadeiros pensamentos.
Há muito tempo venho contrapondo a esta posição o meu ponto
de vista, de que não tem cabimento acusar o sonho de manobras
como que para mistificar deliberadamente. Muitas vezes, a natureza é obscura, sem transparência, mas ela não usa de artimanhas,
como o homem. Por isso devemos acreditar que o sonho é exatamente o que deve ser, nem mais, nem menos[10]: quando representa
alguma coisa em seu aspecto negativo, não há motivo para se acreditar que isso deva ser interpretado no sentido positivo, ou coisa
que o valha. O perigo representado pelo arquétipo no vau está tão
claro, que gostaríamos de dar ao sonho quase que um caráter de
advertência. Mas não posso aconselhar tais interpretações antro-
pomórficas: o sonho em si não tem intenção alguma. Não passa
de um conteúdo que se autorrepresenta, de uma simples coisa da
natureza, como o açúcar no sangue do diabético, ou a febre num
doente atacado de tifo. Nós é que fazemos dele uma advertência,
quando somos capazes de interpretar inteligente e corretamente
os sinais da natureza.

Mas advertência de quê? Parece que o perigo seria, no mo- 163
mento de atravessar, que o inconsciente tomasse conta da sonhadora. Mas o que significa isso? Nos momentos de modificações e decisões importantes, é fácil haver uma irrupção do
inconsciente. A margem em que a sonhadora está, e pela qual
se aproxima do riacho, representa sua situação atual, como a
conhecemos. Esta situação levou-a a um impasse neurótico,
como se houvesse atingido um obstáculo invencível, mas o obstáculo é configurado no córrego transponível. Logo, não parece
ser tão grave assim. Dentro do córrego, sem ser visto, espreita o
caranguejo, representando o perigo propriamente dito, o perigo

---

10. Cf. Allgemeine Gesichtspunkte zur Psychologie des Träumes. *In*: JUNG,
C.G. *Über psychische Energetik und das Wesen der Träume. Op. cit.* [OC 8].

que faz com que o córrego seja, ou pareça ser intransponível. Caso houvesse um aviso de que o caranguejo ameaçador se encontrava naquele lugar, eventualmente poderia ter sido tentada a passagem em outro lugar, ou coisa parecida. Atravessar teria sido a coisa mais desejável naquela situação precisa. Atravessar significa, por ora, transferir a situação antiga para o médico. A novidade é esta. Não seria um risco muito grande, não fosse a imprevisibilidade do inconsciente. Mas como vimos, a transferência ameaçava acionar figuras arquetípicas, imprevistas. "Fizemos a conta do restaurante sem o patrão" – para metaforizar – já que nos "esquecemos dos deuses".

164   Nossa sonhadora não é religiosa. É moderna. Da religião que lhe haviam ensinado quando menina, não restava mais nada. Ignora que há momentos em que os deuses interferem, ou que, desde os primórdios, certas situações penetram nas mais insondáveis profundezas. O *amor* pertence a esse tipo de situação, com toda sua paixão e perigo. O amor pode suscitar forças insuspeitadas na alma, contra as quais seria melhor nos precavermos. O problema que se coloca aqui é o da *"religio"*, que se propõe a "levar na maior consideração" os perigos e poderes desconhecidos. De uma simples projeção pode nascer o amor, com todo o peso da fatalidade: uma ilusão, um deslumbramento que poderiam arrancá-la do ritmo normal de sua vida. A sonhadora é colhida pelo bem ou pelo mal, por um deus ou por um demônio? Sem o saber, ela já se sente entregue às mãos do destino. E quem garante que ela aguentará a complicação? Até o momento, tudo fez para evitá-la, mas agora está prestes a agarrá-la. Deveríamos fugir desse risco, mas se tivermos que enfrentá-lo só nos resta "confiar em Deus" ou "ter fé" em que tudo corra bem. Assim se colocou, sem que se quisesse ou esperasse, a questão da atitude religiosa, frente ao destino.

165   Da maneira pela qual se configurou o sonho, não resta outra alternativa à sonhadora, senão tirar o pé com todo o cuidado; pois seria fatal, se continuasse por esse caminho. Ainda não está em condições de abandonar a situação neurótica, uma vez que o sonho não contém indícios positivos que lhe permitam confiar em qualquer tipo de ajuda do inconsciente. As forças do inconsciente, pelo visto, ainda são pouco favoráveis e esperam que a sonhadora prossiga no trabalho de aprofundar seu conhecimento, antes de tentar atravessar realmente.

Psicologia do inconsciente 115

Com esse exemplo negativo, não pretendo dar a impressão de 166
que o inconsciente sempre desempenha um papel negativo, por
isso, acrescento mais dois sonhos de um rapaz[11], que projetam sua
luz sobre um lado diferente e mais favorável do inconsciente. Fa-
ço-o com redobrado prazer, porque só é possível resolver o problema dos contrários, seguindo pelo caminho irracional, apontado
pelas contribuições do inconsciente através dos sonhos.

Primeiro, quero familiarizar o leitor com a pessoa do sonha- 167
dor, sem o que seria difícil entrar na atmosfera peculiar dos sonhos. Existem sonhos que são pura poesia; portanto, só podem
ser compreendidos dentro do seu clima geral. O sonhador é um
rapaz de pouco mais de 20 anos e de aspecto bem infantil. Tem
até mesmo um jeito de menina, tanto na aparência quanto nas
expressões, e que deixam transparecer a esmerada educação e
cultura recebidas. É inteligente e são grandes os seus interesses
intelectuais e estéticos. O estético coloca-se indiscutivelmente em
primeiro plano. Percebemos imediatamente seu bom gosto e uma
acurada compreensão por todas as formas de arte. Sensível, senti-
mental, arrebatado devido ao seu caráter adolescente e um tanto
feminino. Nenhum sinal da grosseria própria da puberdade. É
incontestavelmente infantil para a sua idade; portanto, um caso
de desenvolvimento retardado. Isso explica o homossexualismo,
razão pela qual veio procurar-me. Na véspera da primeira consulta, teve o seguinte sonho: *Estou numa catedral enorme; dizem
que é a basílica de Lourdes. Uma penumbra misteriosa espalha-se
por todo o santuário. No centro, um poço profundo. Deveria
descer dentro dele.*

Como se vê, o sonho exprime um clima coerente. O sonhador 168
faz os seguintes comentários a respeito: "Lourdes é fonte mística
de curas. É claro que ontem eu estava pensando no tratamento que
vou fazer com o senhor, no intuito de sarar. Parece que em Lourdes existe um poço assim. Provavelmente é desagradável descer
até essa água. Mas o poço da igreja era muito fundo".

Pois bem, qual a mensagem do sonho? Aparentemente, é de uma 169
perfeita clareza. Poderíamos contentar-nos com sua interpretação

---

11. Estes sonhos também são comentados no livro *Die Bedeutung des Unbewussten für die individuelle Erziehung* [OC 17, § 266s.].

como uma forma poética de exprimir a disposição do rapaz naquele dia. Mas nunca seria o bastante. Sabemos por experiência que os sonhos são muito mais profundos e significativos. Poderíamos até pensar que o cliente procurou o médico numa disposição poética e que iniciou o tratamento como quem entra num lugar sacrossanto, cheio de mistério e misericórdia, para assistir a um ofício divino. Mas isso não corresponde em absoluto à realidade dos fatos; tanto é que o cliente veio procurar o médico única e exclusivamente para tratar-se de uma coisa bem desagradável, ou seja, do homossexualismo. Nada menos poético. Na hipótese de uma causalidade tão direta para explicar a origem do sonho, o estado de espírito real da véspera não justificaria, em todo caso, um sonho tão poético. Mesmo assim poderíamos imaginar que foi por reação ao assunto extremamente antipoético que levou o rapaz a procurar a terapia, que ele teve tal sonho. Assim, o sonho mencionado seria tão carregado de poesia, justamente devido à carência poética da sua disposição da véspera; mais ou menos como alguém que sonha com fartas refeições à noite, depois de ter jejuado o dia inteiro. Não se pode negar que o sonho evoca o pensamento do tratamento, da cura, dos dissabores do processo – mas transfigurado em poesia, numa forma efetivamente condizente com a ardente necessidade estética e emocional do sonhador. Ele será inevitavelmente atraído por esse quadro convidativo, apesar da escuridão e da gélida profundidade do poço. Alguns vestígios da atmosfera desse sonho sobreviverão ao sono e perdurarão até a manhã do famigerado dia de cumprir um dever tão antipoético. As sensações do sonho talvez deem um toque dourado à triste realidade.

170   Será esta a finalidade do sonho? Não seria impossível, pois, de acordo com a minha experiência, a grande maioria dos sonhos é de *natureza compensatória*[12]. *Eles sempre acentuam o outro lado, a fim de conservar o equilíbrio da alma.* A compensação do clima, porém, não é a única finalidade da imagem do sonho. Ele também retifica a concepção do paciente. As ideias que ele tem a respeito do tratamento são insuficientes. Mas o sonho dá-lhe uma imagem que caracteriza, numa metáfora poética, a natureza do tratamento a que

---

12. O conceito da compensação já foi amplamente utilizado por Alfred Adler.

Psicologia do inconsciente

vai submeter-se. Isso se torna evidente à medida que acompanhamos as associações e observações que ele faz a respeito da catedral. "A catedral", diz ele, "me lembra a catedral de Colônia. Na minha infância, essa catedral já me impressionava muito. Recordo-me que foi minha mãe quem primeiro me contou coisas a respeito. Lembro muito bem que, naquela época, quando via uma igreja de aldeia, perguntava se era a catedral de Colônia. Queria ser padre numa catedral dessas".

Essas associações referem-se a uma experiência infantil extremamente importante para o paciente. Como em quase todos os casos desse tipo, ele tem uma profunda ligação afetiva com a mãe; não necessariamente uma relação *consciente*, boa e intensa, mas sim uma espécie de ligação secreta, subterrânea, que, em nível consciente, se exterioriza apenas no desenvolvimento retardado do caráter e num relativo infantilismo. O desenvolvimento da personalidade naturalmente faz pressão contra a ligação inconsciente, infantil do jovem, pois não há obstáculo maior ao desenvolvimento do que a permanência num estado inconsciente, psiquicamente embrionário. Por isso, o instinto aproveita a primeira oportunidade para substituir a mãe por outro objeto. Em certo sentido, esse objeto precisa ter alguma analogia com a mãe, para que sirva realmente de substituto. É o que acontece com o nosso cliente, sem tirar nem pôr. A intensidade com que o símbolo da catedral de Colônia foi captado por sua fantasia infantil corresponde a uma necessidade inconsciente, muito forte, de encontrar um substituto para a mãe. Nos casos em que a ligação infantil representa um risco prejudicial, esta necessidade é maior. Daí o entusiasmo com que sua fantasia infantil acolhe a ideia da Igreja – Igreja é mãe, em todos os sentidos, plenamente. A Santa "Madre" Igreja, o "seio" da Igreja, são expressões usuais. Na cerimônia da *"benedictio fontis"* da Igreja Católica, a pia batismal é invocada como *"immaculatus divini fontis uterus"* (útero imaculado da fonte divina). Talvez se acredite que é preciso conhecer conscientemente tal significado para que ele se manifeste na fantasia, e que é impossível, para uma criança ignorante, ser tomada por ele. Mas essas analogias não atuam por vias conscientes, seus canais são outros.

A Igreja representa um substituto espiritual mais elevado para a ligação com os pais, que é apenas uma ligação natural, "carnal", por assim dizer. Sua função é libertar os indivíduos de uma relação inconsciente, natural; para sermos exatos, não trata propriamente de uma relação, mas de um estado de identidade inconsciente, inicial, arcaico. A inconsciência impregna este estado de uma preguiça sem igual, que opõe grande resistência a qualquer desenvolvimento espiritual mais elevado. Seria difícil dizer em que consiste a diferença fundamental entre um tal estado e a alma animal. Ora, não é prerrogativa e intenção da Igreja cristã libertar o indivíduo desse seu primitivo estágio animalesco, mas ela é a forma moderna, especificamente ocidental, que responde a uma aspiração instintiva, tão antiga, talvez, quanto a própria humanidade. Essa aspiração se exprime das mais variadas formas, entre quase todos os primitivos, inclusive entre aqueles que, embora um pouco desenvolvidos, ainda não tornaram a degenerar: trata-se da instituição da iniciação ou sagração do homem. O jovem que atinge a puberdade é conduzido à casa dos homens ou a qualquer outro local destinado à consagração. Lá, é sistematicamente alienado da família. É iniciado ao mesmo tempo nos segredos da religião, numa relação totalmente nova, revestido de uma personalidade nova e diferente, é introduzido num mundo novo, como um *"quasi modo genitus"* (como que renascido). A iniciação frequentemente implica toda uma gama de torturas, circuncisão ou coisas do gênero. Esses costumes são, sem dúvida, antiquíssimos. Já se tornaram quase que um mecanismo instintivo, tanto é que encontram formas sempre novas de se reproduzirem, sem qualquer exigência formalmente prescrita. Refiro-me aos "batismos" estudantis, aos "trotes de calouros", e a todos os excessos praticados pelos veteranos dos grêmios estudantis americanos contra os novatos. Esses hábitos estão soterrados no inconsciente, em forma de *imagem primordial.*

173   A história da catedral de Colônia, que a mãe contou ao garoto, tocou nessa imagem primordial, despertando-a para a vida. Mas não apareceu um sacerdote educador, que tivesse dado continuidade ao processo recém-iniciado. Este permaneceu nas mãos da mãe. O anseio pelo homem orientador deve ter desabrochado no menino, porém sob a forma de uma tendência homossexual. Eventualmente, esta falha poderia ter sido evitada, se um homem tivesse cuidado do desenvolvimento de sua fantasia infantil. Ora, o desvio para o homossexualismo tem, na história, numerosos exemplos. Na Grécia Antiga, como em outras sociedades primitivas, homossexualismo e educação

Psicologia do inconsciente 119

eram, por assim dizer, idênticos. Neste sentido, a homossexualidade da adolescência é uma aspiração pelo homem, mal interpretada, mas nem por isso menos oportuna. Talvez também se possa afirmar que o medo do incesto, que se origina no complexo materno, torna-se extensivo a todas as mulheres. Contudo, na minha opinião, um homem imaturo tem toda a razão de temer as mulheres, pois, em geral, as suas relações com elas são um fracasso.

Segundo o símbolo do sonho, começar o tratamento significa, 174 para o paciente, realizar o verdadeiro sentido da sua homossexualidade, isto é, introduzir-se no mundo do homem adulto. O sonho resumiu, em poucas e expressivas metáforas, aquilo sobre o que estamos refletindo penosamente, demoradamente, numa tentativa de compreensão plena; e criou uma imagem atuante sobre a fantasia, sobre o sentimento e a compreensão do sonhador, incomparavelmente mais rica do que o tratado mais erudito. O sonho preparou o paciente para o tratamento melhor e com mais sentido do que a mais completa coleção de ensaios médicos e educativos do mundo. (Por isso considero o sonho não só como uma fonte preciosa de informações, mas também como um instrumento educativo e terapêutico eficientíssimo.)

Logo em seguida, meu cliente teve um segundo sonho. Antes de 175 continuar, quero deixar claro que o sonho que acabamos de comentar não foi analisado na primeira consulta. Nem sequer foi mencionado. Nada foi dito que tivesse a mais remota relação com o que acabamos de dizer. O segundo sonho foi o seguinte: *Estou dentro de uma enorme catedral gótica. No altar, está um padre, eu de pé, diante dele. Tenho a meu lado um amigo, e nas mãos, uma estatueta japonesa de marfim; tenho a sensação de que essa estatueta deve ser batizada. De repente aparece uma senhora de certa idade, tira o anel do grêmio acadêmico da mão de meu amigo e coloca-o em seu próprio dedo. Meu amigo tem medo de que isso o comprometa. Mas nesse momento ressoa o som maravilhoso de um órgão.*

Só quero salientar aqui, rapidamente, os pontos que continuam 176 e complementam o sonho anterior. Este segundo sonho é inegavelmente a continuação do primeiro. O sonhador encontra-se novamente dentro da igreja; logo, no estado propício à sagração do homem. Juntou-se-lhe uma nova figura: a do padre, cuja ausência observamos na situação anterior. O sonho diz o seguinte: o sentido inconsciente da sua homossexualidade foi preenchido; agora pode iniciar-se uma nova etapa de seu desenvolvimento. A cerimônia da iniciação propriamente dita, quer dizer, o batismo, pode ser iniciado. No simbolismo do sonho está confirmado o que eu dizia anteriormente: a realização de tais transições e transformações de alma não é prerrogativa da Igreja cristã, mas por detrás está uma imagem viva, arcaica, capaz de operar tais mutações à força.

177 O sonho indicava que o que devia ser batizado era uma estatueta japonesa de marfim. O paciente faz a seguinte observação a respeito: "Era um homenzinho grotesco, que me lembra o órgão genital masculino. É estranho que esse membro tivesse que ser batizado. Mas entre os judeus a circuncisão é uma espécie de batismo. Deve ter alguma relação com o meu homossexualismo; pois o amigo que está comigo, ao pé do altar, é aquele com quem tenho a ligação homossexual. Ele está na mesma corporação acadêmica que eu. O anel representa provavelmente essa ligação".

178 Na vida cotidiana, o anel é um sinal de união ou de relação; todos sabem disso: basta pensar na aliança. Portanto, esse anel pode ser interpretado tranquilamente como uma metáfora da relação homossexual; o fato de o sonhador apresentar-se ao lado do amigo deve significar o mesmo.

179 Ora, o mal que se quer tratar é o homossexualismo. Com a ajuda do sacerdote, e por meio de uma espécie de cerimônia de circuncisão, o sonhador há de transferir-se desse estado de relativa infantilidade para um estado adulto. Tais pensamentos correspondem exatamente às minhas reflexões acerca do sonho anterior. Até aí, com o recurso das imagens arquetípicas, o desenvolvimento estaria se processando, com lógica e sentido. Mas neste ponto algo vem atrapalhar, aparentemente. Uma senhora de certa idade apropria-se subitamente do anel da corporação. Em outras palavras, a partir deste incidente tudo que até então era relação homossexual fica polarizado por ela. Isto faz com que o sonhador tenha medo de uma nova relação comprometedora. O anel passa para um dedo de mulher, o que significaria uma espécie de casamento, ou melhor, a relação homossexual teria evoluído para uma relação heterossexual, mas uma relação heterossexual um tanto estranha, pois trata-se de uma senhora de certa idade.

"É uma amiga da minha mãe", diz o paciente. "Gosto muito dela; para dizer a verdade, ela é para mim uma amiga-mãe". Por aí podemos deduzir o que acontece no sonho. A sagração faz com que a ligação homossexual seja desfeita, e em seu lugar se estabeleça uma relação heterossexual; primeiro, uma amizade platônica com uma mulher de tipo maternal. Apesar da semelhança materna, essa mulher já não é a mãe. A relação significa, portanto, deixar a mãe para trás. Logo, uma superação parcial da homossexualidade adolescente.

O medo da nova ligação é compreensível. Primeiro, o medo da semelhança com a mãe poderia significar, devido à dissolução da relação homossexual, uma total regressão à mãe; segundo, o medo do novo e do desconhecido, inerente ao estado adulto heterossexual, poderia acarretar consequências e responsabilidades, como casamento etc. A música do fim do sonho parece confirmar que não se trata de um retrocesso, mas de um avanço. Pois o paciente é dotado de grande sentido musical e a solenidade do órgão o emociona fortemente. A música tem uma conotação muito positiva para ele; logo, o fim do sonho é reconciliador, e essa sensação de beleza e solenidade se estende pela manhã do dia seguinte.

Se levarmos em consideração que até o momento desse sonho o meu cliente tinha tido uma única sessão, e que essa consulta não passou de uma simples anamnese médica geral, todos hão de reconhecer que esses dois sonhos foram antecipações surpreendentes. A situação do paciente é iluminada por uma luz estranha, alheia à consciência, por um lado, e por outro, empresta à situação médica, banal, um aspecto tão ajustado às características espirituais do sonhador, a ponto de servir de vetor aos seus interesses estéticos, intelectuais e religiosos. Isto criou as melhores perspectivas imagináveis para o tratamento. A significação desses sonhos nos dá quase a impressão de que o paciente começou o tratamento com a maior disponibilidade, esperançoso, e pronto para desembaraçar-se de sua infantilidade e transformar-se num homem. Na realidade, porém, não foi assim. O consciente estava cheio de hesitações e resistências; à medida que prosseguia o tratamento, revelou-se rebelde e difícil, sempre pronto a reincidir na infantilidade antiga. Portanto, os sonhos estavam em estrita oposição ao comportamento consciente. Os sonhos são progressistas e tomam o partido do educador. Deixam transparecer claramente sua função específica. Esta função foi por mim definida como *compensação*. *A progressividade inconsciente e o atraso consciente formam um par de contrários, que equilibram, por assim dizer, os pratos da balança.* O educador funciona como o fiel da balança.

183 As imagens do inconsciente coletivo desempenham um papel extremamente positivo, no caso desse rapaz. Provavelmente devido ao fato de não apresentar a tendência perigosa de regredir a um substitutivo fantástico para a realidade, dele fazendo uma trincheira contra a vida. Há um quê de fatalidade no efeito das imagens inconscientes. Talvez – quem sabe! – esses quadros são o que chamamos de destino.

184 Naturalmente o arquétipo está agindo sempre e em toda parte. Mas o tratamento prático nem sempre exige o aprofundamento desse aspecto, principalmente quando o paciente é jovem. No entanto, no momento da transição para a segunda metade da vida, é necessário dar uma atenção toda especial às imagens do inconsciente coletivo; pois são elas que fornecem as pistas para a solução do problema dos contrários. Da elaboração consciente desses dados resulta a função transcendente, enquanto formação de uma concepção que integra os contrários, socorrendo-se dos arquétipos. Por "concepção" não pretendo designar apenas a compreensão intelectual, mas um *compreender pela experiência*. Como já dissemos, um arquétipo é um *quadro dinâmico*, uma parte da psique objetiva, que só conseguimos entender corretamente quando vivenciada como uma coisa autônoma colocada fora de nós e à nossa frente.

185 Não tem sentido teorizar a respeito desse processo, que pode ser muito demorado, e mesmo que fosse possível descrevê-lo é bom saber que ele pode assumir formas que variam enormemente de caso para caso. A única coisa que eles têm em comum é o aparecimento de determinados arquétipos. Menciono especialmente a sombra, o animal, o velho sábio, a *anima*, o *animus*, a mãe, a criança, além de um número indefinido de arquétipos que representam situações. Destacam-se os arquétipos que representam a meta ou as metas do processo evolutivo. O leitor interessado encontrará as necessárias informações no capítulo "Traumsymbolen des Individuationsprozesses"[13]

---

13. Em *Psychologie und Alchemie* [OC 12].

Psicologia do inconsciente

(Símbolos oníricos do processo de individuação), bem como em *Psychologie und Religion* (Psicologia e religião), e no trabalho que publiquei juntamente com Richard Wilhelm: *Das Geheimnis der goldenen Blüte*[14] (O segredo da flor de ouro).

A função transcendente não se desenvolve sem meta, mas conduz à revelação do essencial no homem. No início não passa de um processo natural. Há casos em que ela se desenvolve sem que tomemos consciência, sem a nossa contribuição, e pode até impor-se à força, contrariando a resistência do indivíduo. *O sentido e a meta do processo são a realização da personalidade originária, presente no germe embrionário*, em todos os seus aspectos. É o estabelecimento e o desabrochar da *totalidade* originária, potencial. Os símbolos utilizados pelo inconsciente para exprimi-la são os mesmos que a humanidade sempre empregou para exprimir a totalidade, a integridade e a perfeição; em geral, esses símbolos são formas *quaternárias e círculos*. Chamei a esse processo de *processo de individuação*.

Tomei o processo natural de individuação como modelo e diretriz para o meu método de tratamento. A compensação inconsciente de um estado neurótico da consciência contém todos os elementos que, quando conscientes, isto é, quando compreendidos e integrados como realidades na consciência, são capazes de corrigir eficaz e salutarmente a unilateralidade da consciência. É extremamente raro que um sonho atinja uma intensidade tal, que seu impacto derrote a consciência. Geralmente, os sonhos são fracos e incompreensíveis demais para exercerem uma influência radical sobre a consciência. Logo, a compensação passa-se no inconsciente, sem efeito imediato. Apesar disso, produz efeito, mas um efeito indireto: a oposição inconsciente, numa constante infração, vai arranjando sintomas e situações, que finalmente se contrapõem sem cessar às intenções conscientes. No tratamento esforçamo-nos, por conseguinte, por compreender e respeitar, na medida do possível, os sonhos e demais manifestações do inconsciente; por um lado, para evitar a formação de uma oposição inconsciente, que, com o passar do tempo, pode tornar-se perigosa, e por outro, para utilizar, na medida do possível, o fator curativo da compensação.

186

187

---

14. OC 11 e 13.

188   Esse processo parte naturalmente do pressuposto de que o homem é capaz de atingir sua totalidade, isto é, de que pode curar-se. Menciono esse pressuposto porque existem indivíduos que, indubitavelmente, no fundo, não são inteiramente aptos para viver e se aniquilam rapidamente, quando porventura se chocam com sua totalidade. Mas, quando isso não ocorre, sua vida transcorre até idade avançada, fragmentariamente, a modo de personalidades parciais, auxiliados pelo parasitismo social ou psíquico. Para a infelicidade dos seus semelhantes, tais indivíduos não passam frequentemente de grandes impostores, que encobrem o seu vazio mortal com uma bela aparência. Querer tratá-los pelo método aqui descrito seria, desde o início, uma tentativa vã. O que "ajuda" nesses casos é manter as aparências; pois a verdade seria insuportável ou inútil.

189   No caso de um tratamento pelo método aqui indicado, a orientação vem do inconsciente. A crítica, a escolha e a decisão ficam reservadas ao consciente. Se a decisão foi certa, a confirmação vem através dos sonhos que indicam progresso; se não foi, vem uma correção por parte do inconsciente. Assim sendo, o processo do tratamento é como que um diálogo ininterrupto com o inconsciente. Está implícito em tudo o que foi dito antes que o papel principal cabe à interpretação correta dos sonhos. Mas quando é que podemos estar seguros de que acertamos na interpretação? Existe – ainda que de modo aproximativo – um critério para sabermos se acertamos ou não? Felizmente podemos responder afirmativamente a esta pergunta. Quando erramos numa interpretação, ou quando ela ficou incompleta, já podemos percebê-lo, eventualmente, no sonho seguinte. Por exemplo, pela repetição mais nítida do motivo anterior, ou por uma paráfrase cheia de ironia, que desvirtua a nossa interpretação, ou então, por uma oposição direta e vigorosa manifestada contra ela. Caso estas novas interpretações também sejam falhas, a ausência total de resultados e a inutilidade do nosso proceder serão logo sentidas no esvaziamento, na esterilidade e no absurdo do empreendimento. Tanto é que paciente e médico vão sufocando de tédio, ou dúvida. Assim como a interpretação certa é recompensada pela renovação da vitalidade, a errada é condenada pela detenção, pela resistência, pela dúvida e, principalmente, pela obstrução de ambos os lados. É óbvio que também podem ocorrer interrupções no processo, devido à resistência do cliente, por exemplo,

Psicologia do inconsciente   125

que insiste e persevera em ilusões ultrapassadas ou em exigências infantis. Às vezes acontece que o próprio médico carece da necessária compreensão. Isso aconteceu-me certa vez com uma cliente muito inteligente. Por diversos motivos, ela me deixava na dúvida. Depois de um começo satisfatório, foi crescendo em mim a sensação de que a interpretação que eu estava dando aos seus sonhos não estava certa. Mas não conseguia descobrir a origem do erro, e por isso tentava persuadir-me de que não havia motivos para duvidar. Nas sessões, fui observando que a conversa ia perdendo o interesse, e, pouco a pouco, foi-se instalando a mais estéril monotonia. Por fim, resolvi comunicá-lo à minha cliente, na primeira oportunidade. Segundo me pareceu, ela já o percebera. Na noite anterior, tive o seguinte sonho: *Eu caminhava por uma estrada que corria por um vale iluminado pelo sol da tarde. À direita, um castelo, no topo de um rochedo íngreme. Em sua torre mais alta, havia uma mulher, sentada numa espécie de balaustrada. Para poder divisá-la, tive que inclinar a cabeça para trás, a tal ponto que acordei com uma sensação de cãibra no pescoço. No próprio sonho, reconheci que essa mulher era a minha cliente.*

Tirei a seguinte conclusão: se no sonho era obrigado a fazer um tal esforço para poder vê-la lá no alto, na realidade, provavelmente, eu tinha olhado para ela muito em baixo. Quando lhe comuniquei o sonho com a interpretação, imediatamente a situação se modificou e houve um progresso no tratamento que ultrapassou todas as expectativas. Experiências desse tipo ajudam-nos, afinal, a confiar plenamente na seriedade das compensações nos sonhos. Mas não antes de termos pago, e a bom preço, a aprendizagem.   190

Todos os meus trabalhos e pesquisas das últimas décadas foram consagrados à rica problemática deste método de tratamento. Mas nesta apresentação da *Psicologia complexa*[15] – gostaria de intitular assim os meus ensaios teóricos – não pretendo dar mais do que uma orientação sumária, não entrarei aqui em pormenores sobre as implicações filosóficas e religiosas, em todas as suas extensas ramificações científicas. Ao leitor interessado em ampliar os seus conhecimentos, só me resta recomendar a literatura já indicada.   191

---

15. Hoje designada como *Psicologia analítica*. Cf. Einführung in die Grundlagen der komplexen Psychologie. *In*: WOLFF, T. *Studien zu C.G. Jungs Psychologie*. Zurique: Daimon, 1959.

VIII
A interpretação do inconsciente: noções gerais da terapia

192   É um engano acreditar que o inconsciente é inofensivo e pode ser utilizado como objeto de jogos sociais. Não é em toda e qualquer circunstância que o inconsciente se mostra perigoso, não resta dúvida, mas cada vez que se manifesta uma neurose, é sinal de que há no inconsciente um acúmulo especial de energia, uma espécie de carga, que pode explodir. Aí todo cuidado é pouco. Para começar, não se sabe que tipo de reação provocamos quando iniciamos uma análise dos sonhos. Algo de invisível, de interior, pode ser acionado; algo, mais tarde, provavelmente teria vindo à tona, de uma forma ou de outra, mas que talvez também nunca se manifestaria. É como se, na perfuração de um poço artesiano, corrêssemos o risco de topar com um vulcão. Na presença de sintomas neuróticos, é preciso proceder com o máximo cuidado. Mas os casos de neurose, nem de longe, são os mais perigosos. Existem pessoas, aparentemente normais, que não apresentam sintomas neuróticos específicos, e que até se vangloriam de sua normalidade (muitas vezes trata-se dos próprios médicos e educadores, exemplos de boa educação), que têm opiniões e hábitos de vida extremamente normais, mas cuja normalidade é uma *compensação artificial de uma psicose latente* (oculta). Os próprios interessados não desconfiam do seu estado. Seu pressentimento talvez só se exprima indiretamente pelo fato de demonstrarem um interesse acentuado pela psicologia e pela psiquiatria, sendo atraídos por essas coisas, como a mariposa pela luz. Como a técnica analítica aciona o inconsciente e o traz à luz do dia, ela destrói nestes casos a compensação salutar, e o inconsciente irrompe em forma de fantasias que não

Psicologia do inconsciente

podem mais ser contidas; acarretando consequentemente estados de excitação. Elas podem conduzir, eventualmente, direto à doença mental, ou, antes que isso aconteça, provocar o suicídio. Estas psicoses latentes, infelizmente, não são tão raras como pode parecer.

O perigo de casos desse tipo é uma ameaça constante para a pessoa que lida com a análise do inconsciente, mesmo que disponha de grande experiência e habilidade. A inabilidade, as interpretações falsas ou arbitrárias etc., podem pôr a perder casos que não teriam necessariamente uma conclusão trágica. Tal risco, aliás, não é exclusivo da análise do inconsciente, mas é inerente a qualquer intervenção médica, na medida em que esta for errada. A afirmação de que a análise deixa as pessoas transtornadas é obviamente tão tola quanto a ideia bastante difundida de que o psiquiatra inevitavelmente enlouquecerá devido ao seu contínuo contato com doentes mentais.

Abstração feita dos riscos do tratamento, o inconsciente em si já pode representar um perigo. Uma das formas mais comuns desse perigo é provocar acidentes. Acidentes de todo tipo – em número bem maior do que o público possa imaginar – são causados por fatores de ordem psíquica. A começar por pequenos acidentes, como tropeçar, esbarrar, queimar os dedos etc., até os acidentes automobilísticos e catástrofes alpinistas: tudo pode ter origem psíquica e, às vezes, já está programado semanas ou até meses antes. Examinei grande número de casos dessa ordem, e pude comprovar que muitas vezes, semanas antes, os sonhos já revelaram uma tendência autodestrutiva. Todos os acidentes provocados por descuido, como se diz, deveriam ser investigados, sob este enfoque. Sabemos muito bem que não só tolices de maior ou menor importância podem suceder-nos quando, por qualquer motivo, não estamos bem, mas também estamos expostos a perigos que, em dados momentos psicológicos, podem até comprometer a vida. O ditado popular: "Fulano ou sicrano morreu na hora certa", exprime uma certeza intuitiva quanto à causalidade psicológica secreta do caso. Da mesma forma, podem ser provocadas ou prolongadas as doenças físicas. Um funcionamento inadequado da psique pode causar tremendos prejuízos ao corpo, da mesma forma que, inversamente, um sofrimento corporal consegue afetar a alma, pois alma e corpo não são separados, mas animados por uma mesma vida. Assim sendo, é rara a doença do corpo, ainda que não seja de origem psíquica, que não tenha implicações na alma.

195 Mas não seria justo salientar unicamente o lado negativo do inconsciente. É comum o inconsciente ser desfavorável, ou perigoso, por não concordarmos e, portanto, nos opormos a ele. A atitude negativa em relação ao inconsciente, isto é, a ruptura com ele, é prejudicial, na medida em que a sua dinâmica é *idêntica à energia dos instintos*[1]. A falta de solidariedade com o inconsciente significa ausência de instinto, ausência de raízes.

196 Quando conseguimos estabelecer a denominada função transcendente, suprime-se a desunião com o inconsciente e então o seu lado favorável nos sorri. A partir desse momento, o inconsciente nos dá todo o apoio e estímulo que uma natureza bondosa pode dar ao homem em generosa abundância. O inconsciente encerra possibilidades inacessíveis ao consciente, pois dispõe de todos os conteúdos subliminais (que estão no limiar da consciência), de tudo quanto foi esquecido, tudo o que passou despercebido, além de contar com a sabedoria da experiência de incontáveis milênios, depositada em suas estruturas arquetípicas.

197 O inconsciente está em constante atividade, e vai combinando os seus conteúdos de forma a determinar o futuro. Produz combinações subliminais prospectivas, tanto quanto o nosso consciente; só que elas superam de longe, em finura e alcance, as combinações conscientes. Podemos confiar ao inconsciente a condução do homem quando este é capaz de resistir à sua sedução.

198 O *tratamento prático* orienta-se pelo resultado terapêutico alcançado. O resultado pode sobreviver em qualquer etapa do tratamento, independentemente da gravidade ou da duração do mal. E, inversamente, o tratamento de um caso grave pode estender-se por muito tempo, sem atingir graus mais elevados de desenvolvimento, ou sem que eles precisem ser atingidos. Existem relativamente muitas pessoas que, mesmo depois de receber alta na terapia, percorrem etapas mais avançadas de transformação, por amor ao próprio desenvolvimento. Logo, não é verdade que é preciso ser um caso grave para percorrer todo o desenvolvimento. Em todo caso, só os predestinados, os que são chamados desde o berço, os que têm capacidade

---

1. Cf. Instinkt und Unbewusstes. *In*: JUNG, C.G. *Über psychische Energetik und das Wesen der Träume. Op. cit.*, p. 261s. [OC 8, § 263s.].

Psicologia do inconsciente

e impulso para uma diferenciação maior, é que atingem um grau mais elevado de consciência. Como é sabido, as pessoas divergem enormemente neste aspecto. São comparáveis às espécies animais, que se distinguem em espécies conservadoras e evolutivas. A natureza é aristocrática, mas não no sentido de reservar a possibilidade da diferenciação exclusivamente a espécies de alta categoria. O mesmo se dá com a possibilidade do desenvolvimento psíquico: ela *não é reservada apenas a uma elite de indivíduos particularmente bem dotados.* Em outras palavras, para se completarem extensas etapas da evolução, não é preciso ter inteligência especial, nem outros talentos; pois, neste desenvolvimento, as qualidades morais podem suprir as lacunas da inteligência. O que não se pode pensar é que o tratamento consista em inculcar fórmulas gerais e teses complicadas nas pessoas. Não se trata disso. Cada qual pode conquistar o que necessita, à sua maneira e em sua própria linguagem. As explicações que dei neste trabalho são formulações intelectuais; mas não é bem assim que conversamos durante a sessão de terapia. Os pequenos incidentes casuísticos que fui intercalando no texto já dão uma ideia mais aproximada do que seja o trabalho, na práxis.

Mas se o leitor, depois de todas as explanações dos capítulos precedentes, disser que ainda não conseguiu ter uma ideia clara sobre o que seja a teoria e a práxis da psicologia médica moderna, isso não seria de espantar. Eu atribuiria a culpa à precariedade dos meus recursos descritivos, insuficientes para englobar num quadro concreto e plástico todo aquele conjunto imenso de pensamentos e experiências que é o objeto da psicologia médica. A interpretação de um sonho, colocada no papel, pode parecer arbitrária, confusa e artificial, mas na realidade pode ser um drama de incomparável realismo. *Viver* um sonho e sua interpretação é algo bem diverso de uma morna infusão sobre o papel. No fundo, tudo é experiência nessa psicologia. Mesmo a teoria – até em suas elaborações mais abstratas – resulta diretamente de uma experiência. Por exemplo, quando faço restrições à unilateralidade da teoria sexual de Freud, não quero dizer que ela se baseie numa especulação sem fundamento; muito pelo contrário, ela também é um retrato fiel de fatos reais, observados na práxis, forçosamente. Se estas observações deram ensejo ao desenvolvimento de teorias unilaterais, isso mostra apenas o enorme poder de persuasão, objetiva e subjetiva, dos fatos observados. É quase impossível exigir que o estudioso isolado se eleve acima das suas impressões pessoais mais profundas e de sua formulação abstrata; pois a aquisição dessas experiências, bem como a elaboração racional delas, por si só já constitui tarefa para toda uma vida. Eu, pessoalmente, tive a grande vantagem em relação a Freud e Adler, de que a minha formação não veio da psicologia das neuroses e suas unilateralidades. Vim da psiquiatria, bem preparado por Nietzsche, para a psicologia moderna. Pude observar a interpretação freudiana e a concepção adleriana. Fui colocado, logo de início, no meio do conflito e vi-me obrigado a levar em conta a relatividade de todas as opiniões já existentes, bem como a dos meus próprios pontos de vista, isto é, a considerá-los como expressões de um determinado tipo psicológico. Como vimos, o caso de Breuer foi decisivo para Freud; assim também, uma experiência decisiva está na origem das minhas próprias interpretações: o caso de uma jovem sonâmbula, que pude observar durante muito tempo, enquanto estagiava numa clínica, quando estudante. Tornou-se o tema da minha tese de doutoramento[2]. Para um conhecedor da minha produção científica, a comparação desse estudo – feito 40 anos atrás – com as minhas ideias ulteriores não deixará de ter algum interesse.

200   O trabalho neste campo é pioneiro. Muitas vezes me enganei e não raro tive que aprender tudo de novo. Mas sei – e por isso me conformei – que é só da noite que se faz o dia, e que a verdade sai do erro. As palavras de Guillaume Ferrero sobre a *"misérable vanité du savant"*[3] serviram-me de advertência. Por isso nunca tive medo do erro, nem dele me arrependi seriamente. Porque, para mim, a atividade

---

2. JUNG, C.G. *Zur Psychologie und Pathologie sogenannter occulter Phänomene.* Eine psychiatrische Studie. Leipzig: Oswald Mutze, 1902 [Dissertação. OC 1].

3. *Les lois psychologiques du symbolisme.* [s.l.]: [s.e.], 1895, p. VIII: "C'est donc un devoir moral de l'homme de science de s'exposer à commettre des erreurs et à subir des critiques, pour que la science avance toujours... Ceux qui sont doués d'un esprit assez sérieux pour ne pas croire que tout ce qu'ils écrivent est l'expression de la vérité absolue et éternelle, approuveront cette théorie qui place les raisons de la science bien au-dessus de la misérable vanité et du mesquin amour propre du savant". (É, pois, um dever moral do cientista arriscar-se a cometer erros e a sofrer críticas, para que a ciência continue avançando..., os que forem dotados de suficiente seriedade de espírito para não acreditarem que tudo quanto escrevem é expressão da verdade absoluta

científica da pesquisa nunca foi uma vaca de leite, ou um meio de prestígio, mas um debate amargo, forçado pela experiência psicológica diária junto ao doente. Por este motivo, nem tudo o que exponho foi escrito com a cabeça; muita coisa também saiu do coração. Peço que isso seja levado em conta pela generosidade do leitor; quando ele, ao buscar a correção intelectual, deparar com trechos um tanto descosidos. Uma composição só pode ter fluência e harmonia quando se escreve sobre coisas bem sabidas. Mas quando a necessidade de ajudar e de curar nos impele a sair à procura de novos caminhos, é inevitável que se fale de coisas que ainda não estão bem assimiladas.

---

e eterna, aprovarão esta teoria que coloca as razões da ciência bem acima da miserável vaidade e do mesquinho amor-próprio do homem erudito.)

Palavras finais

201   Para finalizar, quero desculpar-me junto ao leitor, por ter ousado dizer, em tão poucas páginas, tantas coisas novas e de compreensão difícil. Estou pronto a receber sua crítica, porque considero que todo aquele que, afastando-se do caminho comum, se dispuser a abrir trilhas próprias, tem o dever de comunicar à sociedade tudo quanto encontrou em suas viagens de exploração: se foi água fresca para o alívio dos sedentos, ou apenas os desertos de areia do equívoco estéril. O primeiro serve para ajudar, o segundo, para prevenir. Mas não é a crítica particular de cada um dos contemporâneos, mas os tempos vindouros, que vão decidir se é verdade, ou não, tudo isso que acaba de ser descoberto. Existem coisas que ainda não são verdade, ou que hoje ainda não podem ser aceitas como verdade, mas amanhã talvez possam sê-lo. Quem for assim conduzido pelo destino, terá que trilhar esses caminhos próprios, apenas apoiado pela esperança e pelo olhar atento daquele que está consciente do seu isolamento e dos abismos que o ameaçam. O que singulariza o caminho aqui descrito é em grande parte a certeza de não podermos continuar recorrendo unicamente ao ponto de vista científico-intelectual, mas de que o nosso compromisso também compreende todo o lado do sentimento, isto é, a totalidade das realidades contidas na alma – já que lidamos com uma psicologia fundada na vida real e que age sobre a vida real. Nesta psicologia prática, não se trata da alma humana universal, mas de homens e mulheres individualizados, cada qual com uma variedade de problemas que os afligem diretamente. Uma psicologia que satisfaz unicamente ao intelecto, jamais é praticável; pois o intelecto por si só nunca será capaz de abranger a totalidade da alma. Quer queiramos, quer não, mais cedo ou mais tarde o fator cosmovisão terá que ser levado em conta, porque a alma está em busca da expressão de sua totalidade.

Apêndice
Novos caminhos da psicologia[1]

1. Os primórdios da psicanálise

Como todas as ciências, a psicologia também teve sua época escolástica, que perdura em parte até nossos dias. Pode-se objetar a este tipo de psicologia o fato de decidir *ex cathedra* como a psique deve constituir-se e quais as qualidades que lhe cabem neste mundo e no outro. O espírito da moderna ciência natural acabou com tais fantasias, estabelecendo em seu lugar um método empírico exato. Daí surgiu a *psicologia experimental* hodierna, ou "psicofisiologia" como a chamam os franceses. O pai deste movimento foi Fechner, espírito contestador que, com sua *Psychophysik*[2], ousou introduzir o ponto de vista físico na concepção dos fenômenos psíquicos. Esta ideia, e não o erro admirável desta obra, representou uma verdadeira força fecundante. Contemporâneo de Fechner e mais jovem do que ele, Wundt foi, por assim dizer, o aperfeiçoador da obra do primeiro. Sua grande erudição, capacidade de trabalho e gênio no campo da investigação de novos métodos experimentais criaram a tendência dominante da psicologia moderna.

---

1. Primeira versão de: Über die Psychologie des Unbewussten. Apareceu em: *Raschers Jahrbuch für Schweizer Art und Kunst*. Zurique, 1912. Este trabalho foi novamente refundido pelo Prof. Jung e acrescido de alguns capítulos, em 1917, e publicado sob o título de *Die Psychologie der unbewussten Prozesse* [Zurique: Rascher, 1917 – Depois: *Das Unbewusste im normalen und kranken Seelenleben*. Zurique: Rascher, 1926]. Depois de outra elaboração, resultou finalmente a versão definitiva, tal como figura na parte principal deste volume. Os cortes feitos na primeira versão são colocados entre colchetes para que o leitor possa seguir o desenvolvimento deste primeiro ensaio.

2. FECHNER, G.T. *Elemente der Psychophysik*. 2. ed. Leipzig: [s.e.], 1860.

Há pouco tempo ainda a psicologia experimental era essencialmente acadêmica. A primeira tentativa digna de nota no sentido de aproveitar, pelo menos alguns dos numerosos métodos na prática psicológica, partiu dos psiquiatras da antiga *escola de Heidelberg* (Kraepelin, Aschaffenburg, e outros); os médicos dos processos mentais sentiram pela primeira vez, tal como se pode supor, a necessidade premente de um conhecimento exato dos fenômenos psíquicos. Em segundo lugar, a *Pädagogik* apareceu com suas próprias exigências no campo da psicologia. Daí surgiu recentemente uma "pedagogia experimental", em cujo campo Meumann, na Alemanha, e Binet, na França, prestaram uma contribuição importante.

Para ajudar realmente seus pacientes, o médico "especialista em moléstias nervosas" precisa forçosamente dispor de conhecimentos psicológicos. Tudo que é designado pelo termo de "estado nervoso": a histeria etc., tem uma origem psíquica e requer, portanto, logicamente, um tratamento psíquico. Água fria, luz, ar, eletricidade, magnetismo etc., têm um efeito transitório e na maior parte dos casos são absolutamente inúteis. Representam às vezes artifícios de má reputação, no sentido de sugestionar o paciente. A doença, no entanto, radica na psique e assim na mais alta e complexa das funções, que dificilmente podemos incluir no campo da medicina. Aqui o médico deve ser também um psicólogo, e isto significa que *precisa ser conhecedor da psique humana*. Ele não pode esquivar-se a esta necessidade. Assim, pois, terá de recorrer naturalmente à psicologia, uma vez que seus livros de psiquiatria nada lhe ensinam. A psicologia experimental hodierna está longe, porém, de poder comunicar-lhe uma visão articulada daquilo que constitui, praticamente, os processos mais importantes da psique, pois sua meta é outra. Ela procura isolar os processos mais simples e elementares, que ficam nos limites da fisiologia, a fim de estudá-los separadamente. É pouco amiga da infinita variedade e mobilidade da vida psíquica individual e por isso seu conhecimento da realidade e dos detalhes essenciais dessa vida carece de conexão orgânica. Portanto, quem quiser conhecer a psique humana infelizmente pouco receberá da psicologia experimental. O melhor a fazer seria [pendurar no cabide as ciências exatas], despir-se da beca professoral, despedir-se do gabinete de estudos e caminhar pelo mundo com um coração de homem: no horror das prisões, nos asilos

Psicologia do inconsciente 135

de alienados e hospitais, nas tabernas dos subúrbios, nos bordéis e casas de jogo, nos salões elegantes, na Bolsa de Valores, nos "*meetings*" socialistas, nas igrejas, nas seitas predicantes e extáticas, no amor e no ódio, em todas as formas de paixão vividas no próprio corpo, enfim, em todas essas experiências, ele encontraria uma carga mais rica de saber do que nos grossos compêndios. Então, como verdadeiro conhecedor da alma humana, tomar-se-ia um médico apto para ajudar seus doentes. Poder-se-ia perdoar-lhe o pouco respeito pelas assim chamadas "pedras angulares" da psicologia experimental. Pois entre o que a ciência chama de "psicologia" e o que a práxis da vida diária espera da "psicologia" "há um abismo profundo".

Tal deficiência tornou-se o ponto de partida de uma nova psicologia. Em primeiro lugar devemos sua criação a Sigmund Freud, de Viena, o médico genial e investigador das doenças nervosas funcionais. Pode-se designar a psicologia inaugurada por ele como uma *psicologia analítica*. Bleuler sugeriu o nome de "psicologia profunda"[3], a fim de indicar que a psicologia freudiana trata das regiões profundas, ou do interior da psique que também se designa pelo nome de *inconsciente*. O próprio Freud chamava o método de sua investigação de *psicanálise*. É este o nome pelo qual sua posição psicológica é geralmente conhecida.

Antes de entrar na exposição dos fatos propriamente ditos, queremos dizer algo sobre suas relações com a ciência até então reconhecida. Aqui deparamos com um espetáculo curioso, que confirma a verdade desta observação de Anatole France: "*Les savants ne sont pas curieux*". O aparecimento da primeira obra de vulto[4] neste campo despertou apenas um fraco interesse, apesar de sua concepção fundamental e totalmente nova das neuroses. Alguns autores escreveram elogiosamente sobre ela, continuando na página seguinte a explicar os casos de histeria segundo a velha maneira. Agiram mais ou menos como alguém que, tendo louvado a ideia ou o fato de a terra ser esférica, continuasse calmamente a representá-la como se

---

3. BLEULER, E. Die Psychoanalyse Freuds. *Jb. f. psychoanal. u. Psychopath. Forsch.*, II, 1910.

4. BREUER, J.; FREUD, S. *Studien über Hysterie*. Leipzig/Viena: F. Deuticke, 1895.

fosse plana. Depois desta publicação Freud publicou um ensaio[5] que passou quase completamente despercebido, embora contivesse, por exemplo, observações de uma importância inestimável no campo da psiquiatria. Quando, em 1899, Freud escreveu a primeira verdadeira psicologia dos sonhos[6] (reinara até então uma obscuridade noturna nesse domínio), as pessoas começaram a rir. Mas quando em meados da última década ele começou a trazer à luz a psicologia da sexualidade[7], puseram-se a insultá-lo, às vezes do modo mais obsceno e isto perdurou até recentemente. O cuidado com que essas obras foram estudadas pode ser reconhecido na ingênua observação de um dos mais eminentes neurologistas de Paris, por ocasião do Congresso Internacional de 1907, durante o qual ouvi com meus próprios ouvidos: "Eu não li as obras de Freud" (ele não conhecia a língua alemã). "Mas quanto às suas teorias, acho que não passam de uma '*mauvaise plaisanterie*'".

[Freud, o digno e velho mestre, disse-me certa vez: "Para falar a verdade, só cheguei à clara consciência da minha descoberta, quando se manifestaram por todos os lados as resistências e a indignação; desde então aprendi a julgar o valor da minha obra segundo o grau da resistência oposta a ela. Houve uma enorme onda de indignação contra a teoria sexual, parecia que o melhor era escondê-la. *Os verdadeiros benfeitores da humanidade parecem ser os corruptores: a resistência contra os ensinamentos falsos incita o homem à verdade. Mas aquele que diz a verdade é, na opinião geral, um ser nocivo que incita o homem ao erro*".

O leitor poderá supor tranquilamente que se trata, nesta psicologia, de algo inédito, mas que nada tem de racional, de uma sabedoria oculta ou sectária; pois quem poderia impedir todas as autoridades científicas de recusarem as coisas *a limine*?]

Olhemos, no entanto, mais de perto esta nova psicologia.

Já nos tempos de Charcot sabia-se que o sintoma neurótico era "psicogênico", isto é, proveniente da psique. Sabia-se também, graças aos trabalhos da escola de Nancy, que todo sintoma

---

5. *Sammlung kleiner Schriften zur Neurosenlehre aus den Jahren 1893-1906.* Leipzig/Viena: [s.e.], 1906.

6. *Die Traumdeutung.* Leipzig/Viena: [s.e.], 1900.

7. *Drei Abhandlungen zur Sexualtheorie.* Leipzig/Viena: [s.e.], 1905.

Psicologia do inconsciente 137

histérico pode ser produzido exatamente do mesmo modo pela sugestão. Mas não se sabia *como* um sintoma histérico se origina na psique, uma vez que as conexões causais do psiquismo eram totalmente desconhecidas. No começo do século XVIII, o Dr. Breuer, um velho clínico de Viena, fez uma descoberta[8], que se tornou o verdadeiro ponto de partida da nova psicologia. Tinha uma jovem paciente de inteligência notável, que sofria de histerismo. Entre outros, manifestavam-se os seguintes sintomas: paralisia espástica (rigidez) do braço direito, e, de vez em quando, "ausências" ou estados crepusculares; ela perdera também o domínio da linguagem, isto é, não conseguia mais expressar-se na língua materna, mas somente falava o inglês (afasia sistemática). Propôs-se naquela época e ainda hoje são propostas teorias anatômicas para explicar esse distúrbio, apesar de que o centro cortical correspondente à função do braço apresente aqui um transtorno tão discreto como o que se manifesta no centro correspondente de uma pessoa normal [quando esta dá uma bofetada na outra]. A sintomatologia da histeria é cheia de impossibilidades anatômicas. Uma senhora que perdera completamente a audição por causa de uma afecção histérica, costumava cantar frequentemente. Certa vez, enquanto cantava, seu médico sentou-se disfarçadamente ao piano e começou a acompanhá-la, tocando de leve; ao passar de uma estrofe para outra, ele mudou de repente a tonalidade e a paciente, sem perceber, continuou a cantar na nova tonalidade. Portanto, ela ouvia e não ouvia. As várias formas de cegueira sistemática apresentam fenômenos semelhantes. Um homem sofria de uma cegueira histérica total. No correr do tratamento recuperou a vista, a princípio só parcialmente e por um longo período; podia ver tudo, exceto as cabeças das pessoas. Via todos que o cercavam, mas sem as cabeças. Portanto, via e não via. Depois de um grande número de experiências dessa espécie concluiu-se, há muito, que só a consciência dos doentes não vê e não ouve; as funções sensoriais, porém, nada apresentam de irregular. Tal fato contradiz diretamente o caráter orgânico da perturbação que sempre afeta a função, de um modo ou de outro.

---

8. Cf. BREUER, J.; FREUD, S. *Op. cit.*

Depois desta digressão, voltemos ao caso de Breuer. Não havia causas orgânicas que justificassem a perturbação, de modo que esta devia ser considerada como histérica, isto é, psicogênica. Breuer havia observado que, se durante os estados crepusculares da paciente (fossem eles espontâneos ou induzidos), conseguisse fazê-la narrar as reminiscências e fantasias que a pressionavam, isto a aliviava durante algumas horas. Ele utilizou sistematicamente esta observação no tratamento ulterior. A paciente inventou um nome que se aplicasse ao tratamento, chamando-o de *"talking cure"* e também, por brincadeira, de *"chimney sweeping"*.

Essa paciente adoecera ao tratar do pai, acometido de uma doença mortal. Naturalmente, suas fantasias se relacionavam de um modo geral com esse período de aflição. As reminiscências desses dias afloravam em seus estados crepusculares com uma fidelidade fotográfica; eram tão vívidas, em seus menores detalhes, a ponto de ser difícil acreditar que a memória desperta fosse capaz de uma reprodução de tal modo plástica e exata. (Dá-se o nome de *hipermnésia* a essa intensificação dos poderes da memória, que podem ocorrer facilmente em certos estados de consciência.) Emergem então coisas singulares. Uma dentre as muitas narrativas é mais ou menos esta:

> Numa noite de vigília, angustiada, à cabeceira do doente que estava muito febril, ela se sentia tensa, esperando um cirurgião de Viena que devia chegar para a operação. Sua mãe saíra do quarto por instantes e Ana (a paciente) sentou-se perto da cama do doente, o braço direito pendente por sobre o espaldar da cadeira. Ela mergulhou numa espécie de sono acordado e viu uma serpente negra sair da parede, aproximando-se do doente, como que para mordê-lo (provavelmente havia serpentes no campo, atrás da casa, que já haviam assustado a jovem e forneciam agora o material da alucinação). Ela queria afugentar o réptil, mas estava como que paralisada: o braço direito que pendia no espaldar da cadeira parecia "adormecido", anestesiado, parético e como olhasse os dedos, ela os viu transformados em pequenas serpentes com caveirinhas [unhas]. Provavelmente ela esforçou-se por afugentar a serpente com a mão direita paralisada; assim o sentimento de anestesia e paralisia ficou associado à alucinação com a serpente. Quando, afinal, esta

desapareceu, a jovem quis orar em meio à angústia, mas não conseguiu pronunciar uma só palavra. Lembrou-se finalmente de um versinho infantil, em inglês, e foi assim que continuou a pensar e a orar nesta língua[9].

Foi esta a cena que motivou a paralisia e a perturbação da linguagem e mediante a narração da mesma cena a perturbação desapareceu. Desta forma o caso foi resolvido satisfatoriamente.

Contento-me em citar aqui este único exemplo. No livro já mencionado de Breuer e Freud, encontramos numerosíssimos exemplos desta espécie. Compreendemos facilmente que cenas desta natureza são muito fortes e impressionantes; por isso há uma tendência a atribuir-lhes um significado causal no aparecimento dos sintomas. A concepção corrente da histeria, nessa época, derivada da teoria inglesa do *"nervous shock"*, energicamente defendida por Charcot, era apropriada para explicar a descoberta de Breuer. Daí originou-se a assim chamada *teoria do trauma*, a qual afirma que o sintoma histérico (e na medida em que os sintomas constituem a doença, a histeria em geral) deriva dos *golpes psíquicos* (traumas), cuja marca perdura inconscientemente através dos anos. Freud, que começou colaborando com Breuer, confirmou exaustivamente tal descoberta. Tornou-se claro que nenhum, dentre centenas de sintomas histéricos, surgia por acaso, mas que decorria de acontecimentos psíquicos. A nova concepção abriu um amplo campo para o trabalho empírico. Mas a mente investigadora de Freud não podia permanecer muito tempo neste nível superficial, uma vez que problemas mais difíceis e profundos começavam a aparecer. É óbvio que esses momentos de extrema ansiedade, tais como a paciente de Breuer experimentou, podem deixar uma impressão duradoura. Mas como ela poderia escapar a tais experiências se já trazia em si a marca da doença? Poderia ter sido a tensão de cuidar do doente o fator decisivo? Se assim fosse, deveria haver um número muito maior de acontecimentos dessa espécie, pois são muitos, infelizmente, os casos exaustivos de tal cuidado e a saúde nervosa da enfermeira nem sempre é excelente. A medicina deu uma ótima resposta a esta questão: "O x do problema é a *predisposição*". O indivíduo é portador de uma predisposição. Mas o problema, para

---

9. *Ibid.*, p. 30.

Freud, consistia em saber o que constitui tal predisposição. Esta pergunta conduz logicamente ao exame da história anterior ao trauma psíquico. É um fato conhecido que cenas excitantes podem ter efeitos muito diferentes sobre as pessoas que delas participam. Sabe-se também que a visão de certas coisas é indiferente, ou mesmo agradável para algumas, despertando em outras, só em pensar, o maior horror: rãs, serpentes, ratos, gatos etc. Há casos de mulheres que assistem tranquilamente operações sangrentas, mas que tremem de medo ao contato de um gato. Conheço o caso de uma jovem senhora que sofria de uma histeria aguda, em consequência de um susto repentino. À meia-noite, depois de uma reunião, estava a caminho de sua casa em companhia de vários conhecidos, quando um coche apareceu atrás deles, em disparada. Todos se desviaram mas ela, como que fascinada pelo terror, ficou no meio da rua e começou a correr adiante dos cavalos. O cocheiro estalou o chicote, praguejou; foi inútil, ela continuava a correr rua abaixo, até que esta desembocou numa ponte. Lá chegando, ela perdeu as forças, e para não ficar sob as patas dos cavalos teria, em seu desespero, atirado-se ao rio se os transeuntes não a tivessem impedido. Pois bem, esta mesma senhora estivera no sangrento 22 de janeiro em São Petersburgo, na mesma rua que foi "limpa" pelo fogo de artilharia. Em torno dela, à direita e à esquerda, caíam pessoas mortas ou feridas; ela, porém, com a maior calma e lucidez, espreitava um portão pelo qual conseguiu escapar para outra rua. Este momento terrível não lhe causou qualquer dificuldade. Ela sentia-se depois perfeitamente bem – melhor do que seria o normal.

Reações semelhantes são frequentemente observadas. Disto decorre o fato de que a intensidade do trauma em si mesmo tem pouco significado patogênico; tudo depende das circunstâncias particulares que o cercam. E aqui temos a chave da predisposição. Devemos, portanto, indagar: quais são as circunstâncias particulares da cena com o coche? O medo da paciente começou com o ruído dos cavalos galopando; por um instante isto lhe pareceu como que o presságio de algo terrível – sua morte ou qualquer coisa de espantoso. Depois, perdeu completamente a consciência do que estava fazendo.

O efeito momentâneo proveio evidentemente dos cavalos. A predisposição da paciente para reagir de um modo tão estranho a este acontecimento banal residia no significado particular de que

Psicologia do inconsciente 141

os cavalos se revestiam para ela. Poder-se-ia conjeturar, por exemplo, que já lhe tivesse ocorrido algum acidente perigoso com cavalos. Era este realmente o caso. Aproximadamente aos sete anos de idade, durante um passeio com o cocheiro, os cavalos se espantaram de repente e, numa corrida desabalada, se aproximaram da margem abrupta de um rio que corria numa garganta profunda. O cocheiro pulou fora e lhe gritou para fazer o mesmo, mas ela se sentia imobilizada por um pavor mortal. Entretanto, no momento exato em que coche e cavalos se precipitavam no fundo, conseguiu saltar. Não há necessidade de provas para que se compreenda a impressão marcante causada por um fato desta espécie. Ele não esclarece, no entanto, por que mais tarde um sinal aparentemente tão inofensivo desencadeou uma reação de tal modo insensata. Até agora só sabemos que o sintoma tardio teve um prelúdio na infância. Mas o aspecto patológico permanece obscuro. Para penetrar tal mistério, precisamos recorrer a outras experiências. Tornou-se claro, com o enriquecimento da experiência que, em todos os casos analisados até agora, existe, ao lado da experiência vital traumática, uma espécie particular de perturbação, que só pode ser descrita como uma perturbação no domínio do amor. É certo que o "amor" constitui um conceito algo elástico, que vai do céu ao inferno, abrangendo o bem e o mal, o alto e o baixo[10]. Mediante tal descoberta, a concepção de Freud operou uma transformação notável. Se mais ou menos sob o fascínio da teoria do trauma de Charcot ele buscara a origem da neurose nas experiências traumáticas, deslocou agora o centro de gravidade do problema para um ponto inteiramente diverso. O nosso exemplo ilustra isto da melhor maneira possível. Podemos compreender que os cavalos tivessem desempenhado um papel especial na vida da paciente, mas não compreendemos sua reação tardia, tão exagerada e inoportuna. A peculiaridade patológica desta história não reside no fato de que ela se tenha apavorado com os cavalos. Lembremo-nos da descoberta empírica mencionada acima de que, ao lado dos acontecimentos vitais traumáticos, há geralmente uma perturbação no domínio do amor; neste caso, devemos pesquisar o que não vai bem em relação a este aspecto.

---

10. A antiga frase mística é válida também para o amor: "O céu em cima, o céu embaixo, o éter em cima, o éter embaixo, compreende isto e alegra-te".

A paciente em questão conhecera um jovem e pensara em casar-se com ele; ela o amava e esperava ser feliz nessa união. A princípio, nada mais claro. Entretanto, nenhum elemento deve ser omitido devido à insignificância do aspecto superficial da questão. Há caminhos indiretos para alcançar a meta, quando falha a via direta. Voltemos, portanto, ao momento particular em que a jovem senhora corria impensadamente à frente dos cavalos. Perguntamos acerca de seus companheiros e que espécie de reunião festiva fora aquela, da qual participara. Fora uma festa de despedida de sua melhor amiga que partia para longe, a fim de fazer uma estação de cura, por causa dos nervos abalados. Essa amiga é casada e, segundo dizem, feliz; é mãe de uma criança. Devemos, no entanto, desconfiar dessa informação, pois se ela fosse verdadeiramente feliz não teria razão alguma de ser "nervosa", nem precisaria de uma cura. Perguntando acerca de outros pontos, fiquei sabendo que depois de ter sido socorrida pelos amigos, estes a levaram de volta à casa da amiga, por ser o refúgio mais próximo. Lá chegando, exausta, foi recebida com hospitalidade. Neste ponto a paciente interrompeu a narrativa, ficou embaraçada, confusa e procurou mudar de assunto. Evidentemente tratava-se de alguma reminiscência desagradável, que viera à tona. Depois da mais obstinada resistência de sua parte, ficou bem claro que ocorrera naquela noite algo de muito singular: o amigo que a hospedava fez-lhe uma ardente declaração de amor, precipitando uma situação que devido à ausência da dona da casa deve ter sido difícil e penosa. Parece que essa declaração de amor caiu como um raio. Mas coisas deste tipo têm normalmente sua história. Em algumas semanas desenterrei, peça por peça, uma longa história de amor, até que finalmente disso resultou um quadro completo que tentarei esboçar aqui: quando criança, a paciente tinha sido um "joãozinho" pueril, gostava só de brincadeiras selvagens de menino, zombava de seu próprio sexo e fugia a todas as ocupações femininas. Depois da puberdade, quando o problema erótico se acentuou, ela começou a evitar toda espécie de companhia e a odiar tudo aquilo que lembrasse, mesmo de longe, a disposição biológica do ser humano, vivendo num mundo de fantasias, que nada tinha em comum com a realidade brutal. Assim, até os 24 anos, evitou todas as pequenas aventuras, esperanças e expectativas que geralmente motivam as mulheres dessa

Psicologia do inconsciente

idade. (Estas, no que se refere a este aspecto, são muitas vezes insinceras consigo mesmas e com o médico.) Ela conheceu então, mais de perto, dois homens que deveriam quebrar a cerca de arame farpado que pusera em torno de si. A. era o marido de sua melhor amiga e B., seu amigo solteiro. Ela gostava de ambos. Logo, porém, pensou preferir muito mais B. Assim, logo se estabeleceu entre ambos uma relação íntima e se falava de um possível noivado. Através de suas relações com B. e através de sua amiga, ela pôs-se de novo em contato com A., cuja presença a perturbava muitas vezes inexplicavelmente, irritando-a. Nessa ocasião a paciente foi a uma reunião muito concorrida e lá encontrou seus amigos. Num certo momento, perdida em pensamentos, brincava distraidamente com o anel, que de repente escapou de seu dedo, caindo sob a mesa. Seus dois amigos procuraram-no e foi B. que o encontrou. Colocando-o no dedo da jovem, disse-lhe com um sorriso significativo: "Você sabe o que isto significa!" Tomada por um sentimento estranho e irresistível, ela arrancou o anel do dedo e o jogou pela janela aberta. Seguiu-se um momento penoso e pouco depois ela abandonou a reunião, extremamente abatida. Após este incidente aconteceu o assim chamado acaso: ela passou as férias de verão numa estação de cura, onde sua amiga e A. também estavam. A amiga começou a ficar visivelmente nervosa e muitas vezes não saía. As circunstâncias eram favoráveis para que a paciente e A. saíssem juntos. Certa vez, passeavam num pequeno bote. Ela estava de tal modo alegre e agitada, que acabou caindo no mar. Como não soubesse nadar, A. conseguiu salvá-la com dificuldade, puxando-a quase sem sentidos para dentro do bote. Então ele a beijou. Com este episódio romântico, o vínculo foi consolidado. Para desculpar-se diante de si mesma, ela continuou energicamente o noivado com B., tentando persuadir-se de que era ele a quem amava. É claro que este jogo curioso não escapou ao olhar perspicaz da esposa ciumenta. Sua amiga adivinhou-lhe o segredo, atormentou-se, ficando com os nervos abalados. Precisou, então, partir para o estrangeiro a fim de curar-se. Na festa de despedida, o mau espírito soprou ao ouvido da nossa paciente: "Esta noite ele está só. Deve acontecer alguma coisa para que você vá à casa dele". E foi isto o que aconteceu: devido ao seu estranho comportamento ela voltou à casa de A., tal como desejara.

Depois deste esclarecimento provavelmente todos se inclinarão a afirmar que só um refinamento diabólico inventaria um tal encadeamento de circunstâncias, pondo-o a funcionar. Não há dúvida quanto ao refinamento, mas sua avaliação moral não é tão segura; devo sublinhar que os motivos que levaram a esse *dénouement* dramático não eram de forma alguma conscientes. Para a paciente, a história parecia desenrolar-se por si mesma, sem que ela tivesse consciência de qualquer motivo. Mas a história prévia torna claro que tudo estava inconscientemente dirigido para este fim, enquanto o consciente lutava por efetivar o noivado com B. O impulso inconsciente na direção oposta foi mais forte.

Voltamos aqui de novo à questão inicial, à pergunta acerca da proveniência da natureza patológica (isto é, peculiar, excessiva) da reação ao trauma. À base de uma conclusão extraída de experiências, conjeturamos que neste caso também deve haver, além do trauma, uma perturbação no domínio erótico. Esta conjetura foi inteiramente confirmada e aprendemos que o trauma, causa manifesta da doença, não é mais do que uma ocasião para que se manifeste algo que de início não é consciente, a saber, um forte conflito erótico. Com isso, o trauma perde seu significado patogênico e é substituído por uma compreensão muito mais profunda e abarcante, que vê o agente patogênico como um conflito erótico.

Muitas vezes me perguntam: por que o conflito erótico é a principal causa das neuroses? A isso só podemos responder: ninguém afirma que *deve* ser assim, mas que simplesmente *é* assim. Apesar de todos os protestos indignados em contrário, o fato é que o amor[11], seus problemas e conflitos, se mostra de uma importância fundamental na vida humana e, como revela uma pesquisa cuidadosa, tem um significado muito maior do que o indivíduo imagina.

A teoria do trauma foi deixada de lado por ser antiquada; a descoberta de que não é o trauma, mas sim um conflito erótico escondido, que está à raiz da neurose, fez com que o trauma perdesse completamente seu significado patogênico.

---

11. O amor tomado aqui, naturalmente, em seu sentido mais amplo, que não envolve apenas a sexualidade.

2. A teoria sexual

Com esta descoberta, a teoria do trauma foi resolvida e encerrada; em seu lugar, porém, ficou a pergunta acerca do conflito erótico, o qual, como o nosso exemplo mostra, contém uma multiplicidade de elementos anormais, não podendo ser comparado, à primeira vista, com um conflito erótico habitual. O que é peculiarmente espantoso e quase inacreditável é que, na paciente, só a atitude era consciente, enquanto que a paixão real permanecia oculta a seus próprios olhos. Neste caso, por certo, é fora de dúvida que a relação erótica real permanecia obscura, ao passo que a atitude dominava amplamente o campo da consciência. Se formularmos teoricamente tais fatos, chegaremos ao seguinte princípio: *há, numa neurose, duas tendências em rigorosa oposição, sendo que uma delas, pelo menos, é inconsciente.*

[Contra esta formulação pode-se argumentar que ela parece talhada para este caso individual, não possuindo, portanto, uma validez geral. Talvez haja uma tendência de aceitar-se tal objeção, porque ninguém pode concordar facilmente com o fato de que o conflito erótico constitua algo de mais amplo. A tendência será de considerá-lo como um tema que pertence ao romance, a algo de aleatório[12]. Mas isto não corresponde à verdade, uma vez que os dramas mais impressionantes, e os mais excêntricos, não são desempenhados no teatro, mas no coração dos homens comuns, pelos quais passamos sem prestar atenção e que, no máximo, mostram ao mundo, através de um colapso nervoso, as batalhas que se desferem em seu íntimo. Além disso, o que é mais difícil para a compreensão dos leigos é que, em geral, os doentes não têm qualquer pressentimento da batalha que se trava em seu inconsciente. Se considerarmos, no entanto, o número de homens que nada sabem acerca de si mesmos, não devemos nos admirar de que também haja os que nada pressintam acerca de seus verdadeiros conflitos. Se o leitor estiver inclinado a admitir a possível resistência de conflitos patogênicos, eventualmente oriundos do inconsciente, então protestará contra o fato de que se trata de um

---

12. Cf. o romance de MACHAELIS, K. *Eheirrung*; Cf. tb. FOREL, A. *Die sexuelle Frage*. Eine naturwissenschaftliche, psychologische, hygienische und soziologische Studie für Gebildete. Munique: [s.e.], 1905.

conflito erótico. E se for propenso ao nervosismo, poderá irritar--se contra este absurdo aparente; pois fomos acostumados pela educação recebida em casa e na escola a persignar-nos três vezes diante de palavras tais como "erótico" e "sexual". Consequentemente, pensamos que não há nada disso ou que, pelo menos, se trata de algo raro ou longínquo. E, no entanto, os conflitos neuróticos daí procedem, em primeiro lugar.]

O processo da cultura consiste, como se sabe, numa subjugação progressiva do animal no homem. É um processo de domesticação que não pode ser levado a cabo sem que haja revolta por parte da natureza animal, que tem sede de liberdade. De vez em quando ocorre como que um estado de furor na humanidade constrangida pela atuação da cultura: a Antiguidade experimentou-o nas ondas de orgias dionisíacas que vinham do Oriente e que se tornaram um ingrediente essencial e característico da cultura antiga. Esse espírito contribuiu apreciavelmente para o desenvolvimento do ideal estoico do ascetismo, nas inúmeras seitas e escolas filosóficas do último século antes de Cristo. Foi ele que produziu, a partir do caos politeístico dessa época, as religiões gêmeas do mitraísmo e do cristianismo. Uma segunda onda de furor dionisíaco varreu o Ocidente no Renascimento. É difícil julgar o espírito do tempo a que pertencemos. Mas se observarmos os caminhos da arte, do estilo e do gosto geral, e também o que os homens leem e escrevem, que sociedades fundam, quais as "questões" que estão na ordem do dia e contra o que combatem os filisteus, então encontraremos, no longo catálogo de nossas questões sociais presentes, e não em último lugar, a chamada "questão sexual". Esta é discutida por homens e mulheres que debatem a moral sexual vigente e que procuram anular o peso da culpa moral acumulada sobre Eros pelos séculos passados. É impossível negar simplesmente a existência de tais esforços, ou condená-los como injustificáveis; eles existem e têm por isso mesmo um motivo suficiente. É mais interessante e proveitoso investigar lentamente os fundamentos deste movimento contemporâneo do que engrossar o coro das carpideiras da moralidade, que profetizam [num êxtase histérico] a decadência moral da humanidade. Os moralistas têm o privilégio de não confiar em Deus, como se acreditassem que a esplêndida árvore da humanidade só pudesse prosperar graças ao cuidado de serem podadas, atadas e dispostas

Psicologia do inconsciente

em fileiras, ignorando que o Pai-Sol e a Mãe-Terra permitem que ela cresça para a sua alegria, segundo leis mais profundas e sábias. As pessoas mais lúcidas sabem que atualmente se propõe uma questão sexual. O desenvolvimento rápido das cidades, com a especialização da mão de obra, acarretou uma extraordinária divisão de trabalho; a industrialização crescente da região rural, o sentimento cada vez maior de insegurança, privam os homens de muitas oportunidades de descarregar suas energias afetivas. A atividade periódica e rítmica do camponês lhe proporciona satisfações inconscientes, por causa de seu conteúdo simbólico; o operário fabril e o empregado de escritório não conhecem e jamais poderão desfrutar de tais satisfações; a vida mergulhada na natureza, os belos momentos em que o camponês, como o senhor que faz frutificar a terra, mergulha o arado no solo e com um gesto de rei espalha as sementes para a futura colheita; o medo legítimo do poder destrutivo dos elementos, a alegria pela fecundidade de sua esposa, gerando filhos e filhas que também significam um acréscimo da força de trabalho e um bem-estar maior, de tudo isto fomos privados, nós, homens da cidade, trabalhadores mecanizados. Não começa a faltar-nos a mais natural e bela das satisfações: a colheita de nossa própria semeadura e a "bênção" dos filhos, que olhamos com uma alegria simples? [Os casamentos onde não florescem todas as artes da alcova podem ser contados nos dedos. Não representará isto uma primeira despedida das alegrias que a Mãe Natureza ofereceu a seus filhos primogênitos?] Onde poderá prosperar a alegria? E os homens se esgueiram rumo ao trabalho (observe-se os rostos dos homens no ônibus às sete e trinta da manhã. Um fabrica a sua rodinha, outro escreve coisas que não o interessam. Não admira que quase todos pertençam a tantos clubes quantos são os dias da semana, ou que haja pequenas sociedades para mulheres, onde elas podem dedicar-se ao herói do momento; há também aquela vaga nostalgia que os homens afogam no restaurante *"Zum Frohsinn"*, com muito palavrório e uns goles de cerveja). A estas fontes de descontentamento acrescenta-se uma dificuldade interior e mais grave. A natureza abasteceu os homens indefesos e desarmados com uma grande reserva de energia, a fim de torná-los capazes não só de suportar passivamente os perigos da existência, mas também de vencê-los. A Mãe Natureza equipou seu filho para enfrentar tremendas privações (e estabeleceu o delicioso prêmio para os vencedores, prêmio ao qual Schopenhauer se refere ao afirmar que a felicidade não é mais do que a extinção da infelicidade). Via de regra, somos protegidos eventualmente contra essas necessidades vitais imediatas que nos afligem e por isso somos tentados todos os dias; o animal humano sempre viceja quando não é premido pela dura necessidade. Seremos realmente atrevidos? Em que festas orgiásticas gastamos o superávit de nossa força vital? Nossas concepções morais não permitem uma tal escapatória.

[Enumeramos as diversas fontes das quais mana a insatisfação que nos atinge: a renúncia de gerar e dar à luz, tendo sido providos pela natureza de uma grande quantidade de energia; a monotonia do trabalho especializado, que exclui o interesse pelo seu conteúdo; e, finalmente, a poupança de energia por causa da segurança de nossa vida contra a guerra, a anarquia, o roubo, as epidemias, a mortalidade de crianças e mulheres, tudo isto resulta numa soma de energias livres, que devem necessariamente ser desafogadas. De que modo, porém? São relativamente poucos os que, através de esportes arriscados, criam para si mesmos os perigos quase naturais da vida. A maioria é compelida a criar para si mesma um equivalente das dificuldades da existência através do álcool, da caça ao dinheiro, da embriaguez mórbida de cumprir o dever, do esgotamento pelo trabalho, a fim de escapar a um represamento ameaçador da energia, que poderia forçar uma saída insensata. Tudo isto faz com que se coloque hoje a *questão sexual*. A energia poderia ser liberada por este caminho como o foi, desde a Antiguidade, para fins de segurança e sustento. Nestas circunstâncias se reproduzem não só os coelhos, como também os homens, mediante a pilhéria destes caprichos da natureza. Eles têm que sofrer tal pilhéria, uma vez que por causa de suas concepções moralistas se encurralaram numa gaiola estreita, cuja perigosa exiguidade não é sentida até que a necessidade amarga a torne ainda mais estreita. Para o homem da cidade o espaço já se tornou muito restrito. A tentação o cerca, seduzindo-o como um cáften invisível que sussurra os segredos dos preservativos que protegem ou evitam as consequências.] Mas por que deve haver restrição moral? Será por alguma coisa que ultrapassa a consideração religiosa de um Deus rancoroso? Deixando de lado o fato da descrença cada vez

Psicologia do inconsciente

maior, um homem de fé deveria perguntar a si mesmo, tranquilamente, se, no caso de ser Deus, puniria uma diabrura [erótica]
de Joãozinho e Maria com a danação eterna. Tais ideais não são
mais compatíveis com nossa concepção decente de Deus. Nosso
Deus é demasiado tolerante para fazer um estardalhaço por isso.
[Patifaria e hipocrisia são mil vezes mais graves.] Assim é que a
moralidade sexual[13] algo ascética e principalmente dissimulada de
nosso tempo é desprovida de qualquer fundamento real. Será que
poderíamos afirmar que estamos protegidos contra todas as dia-
bruras por nossa sabedoria superior, ou pela visão da nulidade
do comportamento humano? Infelizmente, estamos longe disso.
[Pelo contrário, a sugestão tradicional mantém-nos agrilhoados e
a covardia e a irreflexão fazem o rebanho continuar o trote nessa
vereda.] O inconsciente do homem possui um faro apurado para
o espírito do tempo; ele adivinha suas possibilidades e sente no
íntimo a insegurança dos fundamentos da moral presente, que não
é mais apoiada por uma convicção religiosa viva. Aqui se origina
grande parte dos conflitos éticos de nosso tempo. O impulso de
liberdade colide com as barreiras frouxas da moralidade: os homens estão em tentação, eles querem e não querem. E, porque
não querem e não podem imaginar o que na realidade desejam,
o conflito é principalmente inconsciente e daí procede a neurose.
Esta, como podemos ver, é intimamente ligada ao problema de
nosso tempo, representando verdadeiramente a tentativa malograda do indivíduo resolver em si mesmo o problema geral.
A neurose é um estado de *desunião consigo mesmo*. O motivo
desta desunião, na maioria das pessoas, consiste no fato de que
a consciência deseja manter seu ideal moral, enquanto o inconsciente luta por um ideal imoral – no sentido convencional – que
a consciência constantemente tenta negar. Indivíduos deste tipo
pretendem ser mais decentes do que realmente são. O conflito,
no entanto, pode ser o oposto: há pessoas aparentemente muito
indecorosas, que não opõem a menor restrição a si mesmas,

---

13. [A abolição dos bordéis é outro sinal nocivo e hipócrita de nossa famosa
moral sexual. De qualquer maneira há prostituição; quanto menos organizada
e protegida, mais vergonhosa e perigosa se torna. Este mal existe e sempre
existiu; assim pois seria necessária uma tolerância maior a fim de que houvesse
a maior higiene possível. Se os homens não usassem antolhos moralistas, a
sífilis já teria desaparecido há muito tempo.]

sendo isto, no entanto, uma pose de perversidade, uma vez que abrigam no fundo o lado moral, que caiu no inconsciente. Analogamente há o caso do indivíduo decente, que abriga no inconsciente o lado indecente (os extremos devem, por isso, ser evitados tanto quanto possível, pois sempre despertam a suspeita de seu oposto). Esta discussão geral foi necessária para o esclarecimento do conceito de "conflito erótico". [Este é o ponto nodal de toda concepção da neurose.] Podemos agora discutir, em primeiro lugar, a técnica da psicanálise e, em segundo, o problema da terapia. [Esta última questão leva-nos ao exame de uma série de particularidades e de uma casuística difícil, que ultrapassa os limites desta breve introdução. Contentemo-nos por ora com este olhar lançado sobre a técnica da psicanálise.]

A questão acerca desta técnica propõe-se do seguinte modo: de que maneira é possível chegar ao inconsciente do paciente pelo caminho mais curto e que também seja o melhor? O método inicial foi o hipnotismo. Interrogava-se o paciente em estado de concentração hipnótica, ou então se estudava a produção espontânea de suas fantasias durante esse estado; tal método ainda é empregado ocasionalmente. Comparado, porém, com a técnica atual é demasiado primitivo e, portanto, insatisfatório. Um segundo método foi criado na Clínica Psiquiátrica de Zurique: o chamado método de associação[14], cujo valor é principalmente teórico-experimental. Ele proporciona uma compreensão extensa, mas superficial, do conflito inconsciente ("complexo")[15]. O método mais penetrante é o da *análise do sonho*, descoberto por Freud[16].

Pode-se dizer do sonho, que é a pedra rejeitada pelos construtores, que se tornou a pedra angular. O sonho, esse produto fugaz e modesto da nossa psique, desfruta, em nossa época, de um profundo desprezo. Antigamente, era considerado como um sinal anunciador do destino, como um portador de presságios, um mensageiro dos deuses, cujo caráter podia ser consolador. Agora o encaramos como um

---

14. Cf. JUNG, C.G. *Diagnostische Assoziationsstudien*. 2 vol., 1906 e 1910.
15. A exposição da teoria do complexo encontra-se em JUNG, C.G. *Über die Psychologie der Dementia Praecox*. Ein Versuch. Halle: Carl Marhold, 1907.
16. FREUD, S. *Die Traumdeutung. Op. cit.*

Psicologia do inconsciente

mensageiro do inconsciente, que deve revelar-nos os segredos escondidos pela consciência, o que ele realiza com surpreendente eficiência. Através da pesquisa analítica do sonho verificou-se que este último, tal como se apresenta, é apenas a fachada que oculta o interior da casa. Entretanto, se observarmos determinadas regras técnicas, permitindo que o sonhador fale sobre as particularidades de seu sonho, logo suas ideias se centrarão num certo sentido, configurando determinados temas. Estes parecem ter um significado pessoal que não se presumira inicialmente atrás do sonho; mas, como mostra uma cuidadosa comparação, ele mantém uma relação [simbólica] extremamente delicada e minuciosa com a fachada do sonho[17]. Este complexo particular de ideias, no qual se unem todos os elos do sonho, é o conflito buscado, ou melhor, uma variação do mesmo condicionado pelas circunstâncias. Os elementos penosos do conflito são assim de tal modo escondidos ou dissolvidos, que se pode falar de uma realização de desejo; devemos, porém, acrescentar que os desejos realizados no sonho não parecem ser nossos; pelo contrário, parecem justamente opor-se a eles. Assim, por exemplo, uma filha ama ternamente a mãe e sonha – com grande angústia – que esta morreu. Em tais sonhos não parece haver qualquer realização de desejo; eles são inumeráveis, representando uma pedra de tropeço à nossa crítica erudita, uma vez que não faculta [– *incredibile dictu* –] a distinção entre o conteúdo latente do sonho e o declarado. Devemos precaver-nos contra este erro: o conflito armado no sonho é inconsciente, assim como o desejo de uma solução. A sonhadora deseja efetivamente que sua mãe se afaste; na linguagem do inconsciente isto significa o desejo de sua morte. Sabemos então que há no inconsciente um certo compartimento que contém tudo que se passa além das reminiscências e lembranças, inclusive todos os impulsos instintivos da infância, que não encontraram aplicação na vida adulta, isto é, uma série de desejos egoístas infantis. Pode-se dizer que a maioria dos elementos provenientes do inconsciente possui, em primeiro lugar,

---

17. [As regras da análise do sonho, as leis da estrutura deste último e sua simbólica formam, conjuntamente, uma ciência; em todo o caso, correspondem a um dos mais importantes capítulos da psicologia do inconsciente, para cuja compreensão é necessário um estudo especial e meticuloso.]

um caráter infantil. Assim, por exemplo, este desejo particularmente ingênuo: "Quando mamãe morrer você vai casar comigo, não é, papai?" A expressão deste desejo infantil é um substitutivo (neste caso de um desejo recente de casar-se da sonhadora, desejo penoso cujos motivos ainda estão por ser descobertos). A ideia do casamento, ou melhor, a seriedade da intenção correspondente a ela foi "reprimida no inconsciente", como se costuma dizer, exprimindo-se depois de um modo necessariamente infantil, uma vez que o material disponível do inconsciente consiste, em grande parte, de reminiscências infantis. [As novas pesquisas da Escola de Zurique constataram[18] que tais reminiscências não são apenas infantis. Elas ultrapassam também os limites do indivíduo como "memórias da raça".

Não é este o lugar adequado para esclarecer através de muitos exemplos o domínio extraordinariamente complicado da análise do sonho; devemos contentar-nos, portanto, com os resultados da pesquisa: *os sonhos são o substitutivo simbólico dos desejos importantes para o indivíduo, que não foram satisfeitos durante o dia, sendo então "reprimidos".* Em contraposição à atitude moral dominante estão os desejos insuficientemente reconhecidos, realizados simbolicamente no sonho e que, via de regra, são eróticos. Por isso não é aconselhável contar os sonhos para alguém que deles tem um conhecimento adequado, pois sua simbólica é muitas vezes transparente para os que conhecem suas regras. Os mais claros quanto a isso são os sonhos frequentes de medo que, em geral, simbolizam fortes desejos eróticos.]

O sonho é feito de detalhes aparentemente pueris, que despertam uma impressão de algo ridículo, ou então é de tal modo incompreensível em sua superfície, a ponto de deixar-nos desorientados. Por isso devemos sempre superar em nós mesmos uma certa resistência antes de conseguirmos desatar seu enredo complicado, através de um trabalho paciente. Quando penetramos no verdadeiro sentido de um sonho, mergulhamos profundamente no segredo do sonhador e descobrimos com espanto que seu aparente absurdo é significativo ao mais alto grau e sua linguagem fala apenas das coisas extraor-

---

18. Cf. JUNG, C.G. *Wandlungen und Symbole der Libido*. Beiträg zur Entwicklungsgeschichte des Denkens. Leipzig/Viena: Deuticke, 1912.

Psicologia do inconsciente 153

dinariamente importantes e sérias da alma. Tal descoberta faz-nos sentir mais respeito pela velha superstição de que os sonhos têm um significado desconhecido, até agora, pela corrente racionalística do nosso tempo.

Como diz Freud, a análise do sonho é a *via regia* que leva ao inconsciente. Ela conduz-nos aos segredos mais profundos da personalidade, sendo, portanto, um instrumento inestimável nas mãos do médico e educador da alma. Os opositores deste método baseiam-se em argumentos que, em geral (deixando de lado as correntes subterrâneas dos pressupostos pessoais), derivam principalmente da tendência escolástica do pensamento erudito, ainda bastante forte em nossos dias. A análise dos sonhos descobre impiedosamente a falsa moral e as pretensões hipócritas do homem, revelando-lhe o outro lado de seu caráter sob uma luz crua; não admira, pois, que muitos se sintam apanhados de boca na botija. Lembro-me sempre, relativamente a isto, da admirável estátua do prazer da Catedral de Basileia, exibindo seu doce sorriso arcaico, mas com o traseiro coberto de sapos e serpentes. A análise do sonho dá volta às coisas, revelando o outro lado. É difícil contestar o valor ético desta correção da realidade. A operação é extremamente penosa, mas também é útil, exigindo muito do médico e do paciente. A psicanálise, enquanto técnica terapêutica, consiste principalmente em reunir inúmeras análises de sonhos. No decorrer do tratamento, os sonhos fazem emergir a imundície do inconsciente, a fim de expô-la à força curativa da luz diurna e deste modo muita coisa valiosa, que se acreditava perdida, é recuperada. Trata-se de uma catarse especial, semelhante à "arte da parteira" da maiêutica socrática. É claro que, em tais circunstâncias, a psicanálise parece uma tortura para muitos indivíduos que assumem diante de si próprios uma atitude na qual acreditam com veemência. Pois, de acordo com o velho dito místico "Dá o que tens e então receberás!", eles são chamados a abandonar em primeiro lugar suas ilusões mais íntimas e amadas, a fim de que algo superiormente profundo e belo possa ressurgir dentro deles, em toda a sua amplitude. Só através do mistério do autossacrifício um homem pode encontrar-se novamente. É realmente uma velha sabedoria que vem à luz através do tratamento psicanalítico e é particularmente curioso o fato de que tal espécie de educação psíquica se mostre necessária no ápice de nossa cultura moderna. Esta forma pedagógica pode ser comparada à técnica de Sócrates sob vários aspectos, se bem que a psicanálise penetre em profundidades bem maiores.

Sempre encontramos nos doentes um conflito que se liga, num determinado ponto, aos grandes problemas da sociedade; quando a análise chega a esse ponto, o conflito aparentemente individual revela-se um conflito universal de seu ambiente e de sua época. A neurose, portanto, é uma tentativa individual e malograda de resolver um problema geral; mas este problema geral, esta questão não é um *ens per se*, existindo apenas no coração dos indivíduos. [A questão que mobiliza os doentes é – *I can't help it* – a "questão sexual" ou mais exatamente o *problema da moral sexual moderna*. Sua exigência crescente sobre a vida e a alegria vital, sobre o colorido da realidade, suporta os limites necessários que a realidade lhe impõe, mas não as barreiras arbitrárias e mal fundadas da moral presente. Esta, das profundidades da escuridão animal, estiola o espírito criador que ascende. Pois] *o neurótico tem a alma de uma criança*, que suporta com dificuldade as restrições arbitrárias, cujo sentido ele não reconhece. Embora procure concordar com essa moral, acaba sucumbindo a um dilaceramento profundo, a um *estado de desunião consigo mesmo*. Por um lado, ele quer suprimir-se e por outro, libertar-se: a esta luta dá-se o nome de neurose. Se tal conflito fosse claramente conscientizado, os sintomas neuróticos não se formariam; estes aparecem quando não encaramos o outro lado da nossa natureza e a urgência de seus problemas. Nestas circunstâncias os sintomas se manifestam e ajudam a exprimir o lado não reconhecido da psique. O sintoma é, pois, uma expressão indireta de um desejo que não se reconhece; quando este se torna consciente, entra em conflito violento com nossas convicções morais. Como já dissemos, se este lado sombrio da psique for subtraído da compreensão consciente, o doente não poderá confrontar-se com ele, corrigi-lo, conformar-se com ele, ou então renunciá-lo; pois na realidade ele não *possui* de forma alguma os impulsos inconscientes. Expulsos da hierarquia da psique consciente, eles se tornam *complexos autônomos*, que podem ser postos de novo sob o controle consciente, através da análise do inconsciente. Isto não se dá sem grandes resistências. Há muitos pacientes que se vangloriam, dizendo que o conflito erótico não existe para eles; afirmam que a questão sexual é absurda, pois não possuem qualquer sexualidade.

Psicologia do inconsciente

Não percebem que outras coisas de origem desconhecida lhes impedem o caminho: caprichos histéricos, enredos que fazem em relação a si mesmos e a outros, um catarro estomacal de fundo nervoso, dores aqui e acolá, irritabilidade sem motivo e todo um exército de sintomas nervosos. [Aqui está o engano, pois o grande conflito dos homens cultos de hoje passa relativamente despercebido só a poucos dentre os particularmente favorecidos pela sorte; a grande maioria toma necessariamente parte neste conflito geral.]

A psicanálise já foi acusada de liberar no homem (felizmente) os instintos animais reprimidos, causando deste modo um dano incalculável. Esta apreensão evidencia a pouca confiança que o homem deposita na eficácia dos princípios morais modernos. Pretende-se, aparentemente, que *só* a moral possa impedir o homem de entregar-se ao desregramento; no entanto, uma instância reguladora muito mais atuante é a *necessidade*, que estabelece limites reais, muito mais persuasivos do que os preceitos morais. É certo que a análise libera os instintos animais, mas não, como alguns pretendem, no sentido de dar-lhes um curso desenfreado. A análise tenta conduzir esses instintos a uma aplicação superior, na medida em que isto é possível para a pessoa em questão e uma vez que haja uma exigência de "sublimação". Consequentemente, em todas as circunstâncias há vantagem em ter plena posse da própria personalidade. Se assim não for, suas partes reprimidas perturbarão outras etapas do caminho, e não em pontos sem importância; *perturbarão justamente os pontos em que se for mais sensitivo*. Tal verme sempre rói o cerne. [Portanto, em lugar de combater-se a si próprio, é melhor aprender a carregar o próprio fardo, não apenas tentando elaborar inutilmente as dificuldades internas sob a forma de fantasias, mas colocando-as nas vivências reais. Deste modo o indivíduo evitará viver e consumir-se somente em lutas inúteis.] Se os homens fossem educados no sentido de ver o lado sombrio de sua natureza, provavelmente aprenderiam a compreender e a amar verdadeiramente os seus semelhantes. Um pouco menos de hipocrisia e um pouco mais de tolerância em relação a si mesmo só podem dar bons resultados em relação ao próximo; pois o homem tem uma inclinação nítida para transferir aos seus semelhantes a injustiça e a violência que exerce sobre a sua própria natureza.

[A ligação do conflito individual com o problema geral coletivo estende o âmbito da psicanálise além do círculo restrito de uma simples terapia médica; a psicanálise proporciona ao paciente uma sabedoria de vida baseada num conhecimento empírico que lhe dá, ao lado do conhecimento do seu próprio ser, as possibilidades de adaptar-se a esta ordem de coisas. Não podemos detalhar aqui em que consistem estas diversas formas de conhecimento. É difícil também, a partir da literatura até agora apresentada, construir uma imagem adequada da análise, uma vez que ainda não foi publicado nada de suficientemente satisfatório no tocante a uma técnica de análise mais profunda. Neste domínio, grandes problemas estão ainda à espera de uma solução satisfatória. Infelizmente é pequeno o número de pesquisadores científicos, pois a maioria conserva ainda muitos preconceitos para que possam colaborar nessa importante obra.

Todas estas manifestações estranhas e maravilhosas que se agrupam em torno da psicanálise – segundo os princípios psicanalíticos – fazem supor que ocorrerá algo de muito significativo neste campo, trazendo ao público letrado (como habitualmente), em primeiro lugar, a defesa dos mais vivos afetos.]

Índice onomástico

Abelardo 80
Adler, A. 44, 50, 56s., 78, 88, 92, 170[11], 199
Aigremont, Dr. 128[5]
Aschaffenburg, G. p. 134

Bernheim, H. 2
Bíblia
- Antigo Testamento 108
- Evangelhos 108
Binet, A. p. 112
Bleuler, E. p. 135
Breuer, J. 4s., 8, 199, p. 135s.
Burckhardt, J. 101

Cellini, B. 100
Charcot, J.M. 2s., 8, p. 136, p. 139, p. 141

Dionísio Areopagita 104

Fechner, G.T. 111
Ferrero, G. 200
France, A. 3, p. 135
Franz, M.-L. 119[17]
Frazer, J.G. 108
Freud, S. 2, 8, 10, 20s., 23s., 44s., 56s., 77[7], 79, 88, 92, 94[13], 100, 162, 199, p. 135, p. 150, p. 153
Frobenius, L. 160

Ganz, H. 159[7]
Goethe, J.W. 43, 87, 121, 153
Griesinger, W. 106

Helm, G.F. 107
Heráclito 108, 111
Hoffmann, E.T.A. 51

I Ging 132
Inácio de Loyola 19

Jacobi, J. 122[3]
James, W. 80
Janet, P. 2, 4
Jung, C.G., obras:
- *Allgemeine Gesichtspunkte zur Psychologie des Träumes* (*Considerações gerais sobre a psicologia do sonho*) 162[10]
- *Allgemeines zur Komplextheorie* (*Considerações gerais sobre a teoria dos complexos*) 20[2], 104[6]
- *Bewusstes und Unbewusstes* (*Consciente e inconsciente*) 154[6]
- *Bruder Klaus* 119[17]
- *Collected papers on analytical psychology* (*Artigos coletados sobre psicologia analítica*)72[5]
- *Das Geheimnis der goldenen Blüte* (*O segredo da flor de ouro*) 102[3]
- *Der Inhalt der Psychose* (*O conteúdo da psicose*) 131[6]
- *Diagnostische Assoziationsstudien* (*Estudos diagnósticos de associação*) 20[1], p. 150[14]
- *Die Bedeutung des Unbewussten für die individuelle Erziehung* (*A importância do inconsciente para a educação individual*) 166[10a]
- *Die Lebenswende* (*As etapas da vida humana*) 114[14]
- *Die Psychologie der unbewussten Prozesse* (*Psicologia do inconsciente*) p. 9[1], p. 133[1]
- *Die psychologischen Aspekte des Mutterarchetypus* (*Aspectos psicológicos do arquétipo materno*) 102[3]

- *Die Struktur der Seele (A estrutura da alma)* 109[11], 152[4]
- *Die transzendente Funktion (A função transcendente)* 121[1]
- *Instinkt und Unbewusstes (Instinto e inconsciente)* 195[1]
- *Paracelsus als geistige Erscheinung (Paracelso como fenômeno espiritual)* 118[16]
- *Psychologie und Alchemie (Psicologia e alquimia)* 118[16], 121[2], 122[3], 185[12]
- *Psychologische Typen (Tipos psicológicos)* 63[1], 82[10], 85[11], 102[3], 160[9]
- *Sigmund Freud als kulturhistorische Erscheinung (Sigmund Freud, um fenômeno histórico-cultural)* 33[3]
- *Symbole der Wandlung (Símbolos da transformação)* 77[7], 101[2], 110[12], 160[9]
- *Über das Unbewusste (Sobre o inconsciente)* 40[1]
- *Über den Archetypus mit besonderer Berücksichtigung des Animabegriffes (O arquétipo com referência especial ao conceito de anima)* 102[3]
- *Über den Begriff des kollektiven Unbewussten (O conceito de inconsciente coletivo)* 101[2]
- *Über die Archetypen des kollektiven Unbewussten (Sobre os arquétipos do inconsciente coletivo)* 102[3], 154[6]
- *Über die Psychologie der Dementia Praecox (A psicologia da dementia praecox)* p. 150[15]
- *Über psychische Energetik und das Wesen der Träume (A energia psíquica e a natureza dos sonhos)* 71[4], 77[7]
- *Wandlungen und Symbole der Libido (Transformações e símbolos da libido)* 160[9], p. 152[18]
- *Zum psychologischen Aspekt der Korefigur (Aspectos psicológicos da Core)* 102[3]
- *Zur Psychologie und Pathologie sogenannter occulter Phänomene (Sobre a psicologia e patologia dos fenômenos chamados ocultos)* 199[2] Jung, E. 141[1]

Kerényi, K. e Jung, C.G. 102[3]
Kraepelin, E. p. 131

Leonardo da Vinci 100
Liébault A.A. 2
Longfellow, H.W. 160
Lovejoy, A.O. 108

Mayer, R. 106s.
Meyrink, G. 153
Meumann, E. p. 134
Moebius, P.J. 66

Nelken, J. 110[12]
Nerval, G. 121
Nietzsche, F. 29, 36, 39s., 65s., 113, 153, 199
Niklaus von der Flüe 119

Ostwald, W. 72, 80

Schopenhauer, A. p. 148
Semon, R.W. 159[7]
Silberer, H. 128[4]
Soederblom, N. 108[9]
Sócrates 26, 33, p. 154s.
Spielrein, S. 33[4]
Spitteler, C. 82[11]
Synesius 113

Taylor, E.B. 108

Wagner, R. 43
Wilhelm, R. 102[3], 132[7], 185
Wolff, T. 102[3]
Wundt, W. 2, p. 133

Índice analítico

Acaso 12, 72
Achumawis 154[5]
Acidentes psíquicos
- causa dos 194
Adaptação 82
Afasia 4, p. 137
Afeto(s) 108
Água 126, 140, 159
- descer até a 68
Alma(s) 151
- animal 35, 40, 172
- como energia 108
- e corpo 35, 194
- "espiritualizada" (Synesius) 113
- parciais 104, 141
- cf. tb. Psique
Alucinação 6, p. 138
Amnésia 4
Amor 10, 14, 47s., 78, 115, 164s., p. 141s.
Amplificação 122
Análise 10, 26, 77, 113, 192
- e síntese 122
Anão 36
Anel no sonho 175, 177
Anestesias 4
Animal(is) 6, 41, 45, 97, 109, 145
- caranguejo 123, 129, 133, 138, 144, 158, 162
- cavalo 8, 75, p. 140s.
- cobra 6, 119, 129, 150, p. 138s.
-- na água 159s.
- coiote 154[5]
- como símbolo(s) 130, 133, 159
- dragão 48, 129
- gato 8, p. 140
- lagartixa/lagarto 150
- leão 37, 45
- peixe 129

- rato 8, p. 140
- sapo/rã 8, p. 153
- tigre 45
- touro selvagem 45
Anima
- e animus 141[1], 185
Animismo 108
Anjos 104
Antepassados 118, 120
Antiguidade 17, p. 146
Antroposofia 118
Arquétipo(s) 185
- acionar os 163
- autonomia relativa dos 104
- avaliação dos 151
- como dominantes 102, 151
- do inconsciente coletivo 118, 141s.
- efeito dos 109s., 155
- experiências dos 119
- numinosidade dos 109
- origem dos 109
- projeção dos 152s.
- realidade dos 158
- cf. tb. Imagem(ns)
Ascensão e queda (descida) 41, 114
Ascese 17, p. 146
Asma 46s., 69
Atitude
- mudança de 132, 159, p. 10
- tipos de 56s., 63
-- critérios de diferenciação dos 64[2]
- tipos opostos de 60, 62, 80
Aura 108
"Ausências" 4, p. 137
Autoconhecimento 28
Autocrítica 41
Autorregulação 92
Autossacrifício p. 153

Batismo 176s.
Belzebu 111
Bem e mal 10, 146, 164
- além do 40
Benedictio fontis 171
Budismo 118

Caos, ordem no 110
Caprichos, humor(es) 27, 45, 81s.
Caranguejo; cf. Animal(is)
Carma 118[15]
Casal (casamento) 46s., 80, 88, 179s.
Cascavel; cf. Animal(is), cobra
Catolicismo 118, 156
Causalidade 45, 58, 72[5]
Cegueira histérica 4
Choque, neurose de 9, 15[9]
Círculo 186
Circuncisão 172, 179
Cisão dentro de si mesmo 16s.,
27, 85, 116, p. 10, p. 148
Ciúme 11, 22
Civilização 74, 111, 156
Cobra (serpente); cf. Animal(is)
Coiotes; cf. Animal(is)
Comoção, emoção 110
Compensação(ões) 63, 118, 170, 182s.
- artificial 191
- inconsciente 187
Complexo(s) 20, 27, 137, 141, 173
- autônomos p. 154
Compulsão 12
Conceitualismo 80
Conflito(s) p. 143s., p. 151s., p. 154s.
- patogênicos 20, 27
- insolúvel 147
Consciência (consciente) 87, 110
- capacidade de ascender à 198
- como meta final 87
- crítica mediante a 189
- distúrbio (perturbação) da 4, p. 138
- e inconsciente 12, 16s., 48, 63,
68, 87, 103, 118, 120, 136, 148,
150, 171, 184s., 196, p. 149
- razão da 110
- unilateralidade da 78, 118
Conteúdo(s)
- do inconsciente 26, 94[13], 103, 138

-- do inconsciente coletivo 110,
150, 158
- projeção dos c. inconscientes 150,
153
- psíquicos 77[7], 197
- reprimidos 28
Conversão ao contrário 115
Coração 160
Cristianismo 35, 159, p. 146
Cristo 17, 66
Cultura 17, 111
- negra 156

Demônio (Daimon, Dämon)
110s., 149, 164
Depressão 75
Desacordo consigo mesmo 16, 27,
195, p. 154
Desejo(s)
- formador do sonho 21
- satisfação do 21, p. 151s.
Desenvolvimento individual 69
- graus do 198
- retardamento do 159, 167, 171
Destino
- atitude religiosa diante do 164
- e vida 72
- irracionalidade do 72s., 75
Deus 108, 164, p. 149
- conceito de 110
-- entre os primitivos 108, 154
Deuses 110, 150, 159
Diabo (Diabolos, Teufel) 31, 75,
105, 145, 152
Diástole e sístole (Goethe) 97
Diferenciação 198
Dissociação 63, 156
Distúrbio da fala 7, p. 139
Divórcio 115
Dragão; cf. Animal(is)

Ecce Homo 36, 43
Emocionalidade 64[2]
Enantiodromia 111
Energia(s) 151, 159, p. 147
- conservação da 106, 108
- destrutiva 75, 192
- disponível 75, 93s.

Psicologia do inconsciente

- dos instintos 195
- fluxo (inclinação) da 75s., 93
- forma da 71, 76, 94
- pela tensão dos contrários 34, 115, 121
- psíquica 71, 93
- sublimação da 71, 74
- universal (Heráclito) 108
- cf. tb. Libido
Engramas (Semon) 159
Equilíbrio psíquico 170
- distúrbio do 111
Eros 33, 42, 55, 79, p. 146
Erotismo 14[8], 32
- distúrbio de ordem erótica 10s., 13s.
- e conflito erótico p. 144s.
Escola megárica 80
Espírito Santo 108
Espíritos, mundo dos 108, 154[5]
- e doenças psíquicas 2, 192
Esquizofrenia 110, 121
Estados de sonolência (crepusculares) 5, p. 137s.
Estoicismo 17, 108
Éter como elemento da alma 151
Eu consciente 51
- impulso do (Freud) 43, 58
- não eu e 113, 155
- poder do 42s., 50, 55, 111
Experiência(s) arquetípica(s) 119
Extroversão 62
Extrovertido(s) 80, 84s.
- introversão inferior do 81, 84s.

Fantasia(s) 6, 11, 47, 109, 161
- análise e síntese da(s) 122
- conscientização da(s) 75
- do inconsciente coletivo 103
- e realidade 161, p. 154s.
- espontaneidade da 20, 121, p. 150
- infantis 96, 171
- projeção da 94[13], 95, 142
- sexuais 42, 128, 144
Fascínio 136, 141
Feitiço, feiticeiro, mago 108, 150, 153s.
Fertilidade 108
Filosofia
- escolástica 80

- indiana 118[15]
- platônica 80
"Fogo eterno" 108
Fonte 168s.
- mística 168
Fora e dentro 114
Força mágica 108, 151
Formas de animal como atributos divinos 97
Função(ões)
- autonomia da 85
- psíquica 150s.
- quatro 64[2]
- repressão da f. religiosa 150
- transcendente 121, 159, 184, 186s., 196

Gato; cf. Animal(is)
Gnósis, gnósticos 104, 118
Guerra mundial 74, 153

Haoma 108
Hermenêutica 131[6]
Herói(s) 40, 72, 100, 153, 160
Hinduísmo 118
Hipermnésia 6, p. 138
Hipersensibilidade 85
Hipnose, hipnotismo 20
Histeria 1, 4, 8, p. 134s.
- sintomas da 4, p. 137s.
Homem
- mau no sonho 45
- "normal" 80
- o feminino no 141
Homossexualismo 21, 134, 167, 173s.
- superação do 180
Humano
- relatividade do 115, 118

Idade Média 31, 118
Ideal(is) 18, 87, 115
- crítica do(s) 65
Idealismo e materialismo 80
Ideias, associações (Einfälle) 129, 139, 171
Identificação inconsciente 136, 172
- com a psique coletiva; cf. Psique
Idiossincrasia(s) 43
Igreja 111, 171s., 176

- como substituto 172
Iluminismo 110, 150
Ilusão(ões) 26, 75, 189
- infantil 88, 90, 113
- renúncia à 27, p. 151
Imagem(ns) 120
- autonomia das 110
- do inconsciente
-- coletivo 108, 123, 145, 184
-- mitológico 118
-- pessoal 118
- ideias, representações 119
-- arquetípicas 179
-- hereditariedade das 101
-- reprimidas 103
- primordiais 100, 109, 173, 176
- projeção das 110
Imortalidade 108
Impulso(s), instinto(s) p. 149s., p. 153
- aceitação do 35, 43
- animal 17, 28, 40, 134
- de morte, de destruição 33
- infantil 21
- repressão do 27s., 42
- sublimação do 71
Incesto
- medo do 22, 173
Inconsciência 23, 87, 140, 172
Inconsciente 20, 37, 41, 51, 90, 109, 129, p. 135s.
- ajuda do 165, 196
- análise do 193
- atitude para com o 195
- ativação do 91, 93, 150, 192
- coletivo 103, 108, 110, 113, 118, 123, 151, 161, p. 15
-- aspecto negativo do 161
- confrontação com o 121s.
- desejos do 21, 27
- dinâmica do 137, 140, 195
- domínio através do 145, 163
- influxo do i. sobre o consciente 150
- pessoal 103, 118
Individuação
- processo de 185s.
Individual (o) e o coletivo 150
Infância 10, 117
- como arquétipo 154s.

- e pais 50s.
- fantasias infantis 88
- primeira 117
- tempo pré-infantil 120
Infantilismo 88, 134, 171, 182
Inflação 110
Iniciação(ões) 172
Inspiração 106
Instinto
- ausência de 195
- de destruição 33, 77[7]
Intelecto 159
Introjeção 110
Introversão 62, 80, 82, 86
Introvertido 80
- extroversão inferior do 81, 84s.
Intuição(ões) 64[2], 107, 149
Irracional (o) 72
- como função psíquica 111

Jonas 160
Jovens 88, 113
Judeus 177

Lagarto; cf. Animal(is)
Leão; cf. Animal(is)
Libertação 88s.
Libido 33, 77, 150
- e objeto 93s., 105, 110
- libertação da 105
- não diferenciada 133
- sublimação da 93
- cf. tb. Energia
Lobisomem 150
Lourdes 168
Lua
- fases da 109

Mãe(s) 14, 133, 180
- complexo materno 173
- e filha 21s., 128s., p. 151s.
- e filho 170s.
- e pai 22s., 46s., 58, 90, 97, 113
- motivo das duas 100
- relação com a 75, 171
- resistências à 21
Mal 79
- cf. tb. Bem e mal

Mana 108[9]
"Manobra" (arranjos, mecanismo) 53, 75
Materialismo 80
Medardo 116
Médico
- como demônio, bruxo, curandeiro 98s., 143, 145
- e paciente 1, 5, 58, 93s., 143s., 170s., 189s.
Medo, pavor, angústia 6, 45, 69, 116, 128, 157
- da mulher 173
- de morrer 10
Menopausa 114
Metempsicose (transmigração da alma) 108
Método de associação p. 150
Milênio(s) (*aion*) 109, 110, 151
Mito(s) 102, 152, 160
- indígenas 160
Mitologia 149, 160s.
Mitra 17, p. 146
Moisés 108
Monstro
- vitória sobre o 35
Moral 27s., p. 146s., p. 154
- do cristianismo 35
- sexual 31, p. 147
Morte 79, 136
Mudança(s)
- de lugar no sonho 132
- de profissão 115
Mulher
- o masculino na 141
Múltiplos olhos 119
Mulungu 108
Mundo
- abismal 48
- interior, espiritual 118
-- projeção no 90
Música no sonho 175, 181
Mutações 176
- religiosas 115

Não eu e eu
- da alma, experiência primordial do 119
Natureza 162

- animal do homem 17, 32, 41, p. 148
-- negação da 35s.
- e cultura 16s., 32s., 41, 114
- rebelião contra a 95
- violência contra a 28
Necessidade como reguladora 28
Nervosismo 1, 11, p. 134
Nervous shock (choque nervoso) 8, p. 139
Neurose 18, 22, 29s., 40, 44, 49s., 88, 92, 115, 192, p. 132s., p. 145
- aspectos contraditórios da 57
- causas da 10, 14, 49
- energia das manifestações neuróticas 71
- orientada para um fim 54
- psicologia da 2, 199
- psicoterapia da 2
- tendências contraditórias na 16
- valor e sentido da 67s.
Ninfa 129
Nível
- do objeto 143
-- análise, interpretação ao; cf. Sonho
- do sujeito 139, 141, 157
-- interpretação ao; cf. Sonho
Nominalismo e realismo 80

Objeto(s)
- força determinante do 58
- negatividade do 81
Opinião depreciativa de si mesmo 110
Opostos, contraditórios, oposições
- desenvolvimento dos 91
- dilaceramento nos pares opostos 113
- função reguladora dos 110s.
- incompatibilidade dos 118
- o problema dos 88, 113
- par de 78, 115, 182
- que compensam 78
- sofrimento dos 113, 118
- solução do problema dos 166, 184
- união dos 80, 121
- unificação dos 121
Ordenação de homens; cf. Iniciação(ões)
Orgias dionisíacas
- ondas de 17, 40, p. 146

Otimismo do extrovertido 81
"Outro" (o)
- em nós 43

Pai
- e filha 45s.
- médico como 98
Pais 50, 98
- dependência dos 98
- identidade inconsciente com os 172
- imagem(ns) (*imago*, *imagines*)
dos 88s.
- libertação dos 88s.
Paixão 11, 16, 111, 114
Paralisia 4s.
Paresia 4
Parsifal 43
Paulo 43, 104, 110s.
Pé(s) 128, 165
Pecado original 35
Pedagogia experimental p. 134
Peixe; cf. Animal(is)
Pensamento(s) 63, 107, 199
- inconscientes 93
Perigos(s) 164
- representado pelo arquétipo 162
Personalidade
- cisão dá 22
- desenvolvimento da 171
- mudança da 172
Pia batismal 171
Poder
- impulso do 43, 50, 54
-- infantil do 67
- psicologia do 54
- vontade de 39, 42, 50, 78
Polinésios 108
Pólipo; cf. Animal(is)
Politeísmo 17
Possessão 111
Predisposição, disposição 8s., 71,
136, p. 139s.
Primitivo
- aniquilamento do 156
Problema(s)
- da idade 88, 114
- do tempo 18
Projeção(ões) 164
- deuses como 150

- e introjeção 110
- inconsciente 142, 153
Protestantismo 118
Psicanálise 2, 17, 26, p. 148, p. 154s.
Psicologia 74, 192
- do poder 54
- experimental 2, p. 133s.
- médica 122, 199
- sexual 3, 39, 49, 199, p. 135
Psicose 2, 192
Psicoterapia 2
Psique 110, 184
- autonomia da 158
- coletiva 113, 150, 158s.
- e instinto 32
- individual 150, 156, 158s.
- cf. tb. Alma(s)
Psiquiatria 3, 192, 199

Quatro 186

Ratio, racionalismo 24, 72, 150
Rato; cf. Animal(is)
Razão
- identificação com a 110s.
Realidade
- aceitação da 93
- consciente e inconsciente 120
- psíquica 151, 158
- redução a 65
Redução(ões) 67, 69, 113, 122, 129
Regressão 117, 120
Relação(ões) 136
- libertação da rel. do objeto 141
Religião(ões)
- cristã 118
- dinamísticas 108
- orientais 118
- primitivas 108, 156
Religio 164
Reminiscências
- afloração das 115, p. 142
- infantis 21, 45, 75
- pessoais 6, 122, 130, 150
Renascimento 17, p. 146
Repressão(ões), recalque 21, 77,
146, p. 152s.
- e recalque 115

Psicologia do inconsciente

Resistência contra o médico 94, 145, 172, 182
- superação da 11, 24
Revolução Francesa 150
Riso histérico 45, 51
Rito(s) 156

Sábio, o velho 154, 185
Santo(s) 108, 150
Sapo/rã; cf. Animal(is)
Sarça ardente 108
Saulo 43
Segredos da religião 172
Sentido (Gefühl) musical 181
- transferência do 89, 91
Sentimento 63
- de inferioridade 72, 85
Ser humano
- superior 37
- totalidade do 188
Sexualidade 17, 31, 57, p. 154
- infantil 67
Simbiose 80, 82
Símbolo(s) 122, 156, 171, 176, 186
- interpretação da escolha do 130, 139
Simbologia, simbólica 132, 156
Sol 108
- arquétipo do 109
Sombra(s) 27, 35, 42, 47, 103, 154, 185
- identificação com as 35, 41
- repressão das 78
Sonambulismo 199
Sonho(s) 98, 103, 119, 134
- análise, interpretação dos 20s.,128s., 137, 162, 189, 192, 199, p. 150s.
-- em nível do objeto 130, 139, 141, 158
-- em nível do sujeito 130, 139, 157
-- sintética 132s.
- com caranguejo 123s., 158, 162
- com catedral 167s., 175s.
- com estatueta de marfim 175s.
- como advertência 21, 162
- como fachada (Freud) 21, 162, p. 151

- como "via régia" para o inconsciente 25, p. 153
- com torre 189
- de medo p. 153
- e consciência 182, 187
- e realidade 169, 182, 190
- função compensatória do 170, 182, 190
- motivos arquetípicos no 109
- sentido do 21, 24, 161, 174, p. 153
- símbolos do, motivos do 122, 174, 189
- sonhar acordado 6
Sopro
- elemento do 151
Sublimação 71, 74, 93, p. 155s.
Sugestão 4, p. 149
Suicídio 192
Sujeito e objeto 59s., 81
Super-homem 36, 110, 132
Superstição 24

Tao, taoismo 118
Teoria
- da neurose (Freud e Adler) 57
-- oposição das duas 64, 78
- do trauma 15
Teosofia 118
Terra redonda 3
Tertium non datur 116
Tesouro oculto 105
Tigre; cf. Animal(is)
Till Eulenspiegel 47
Tipo
- mongoloide no sonho 154
- cf. tb. Atitude, tipos de
Tolerância p. 156
Torre no sonho 189
Totalidade 40, 188
- símbolo da 186
Touro selvagem; cf. Animal(is)
Transferência 91s., 105, 110, 127, 144, 146, 163
- conceito de 58
- solução, liberação da 96, 113
Trauma 8, 15s., p. 138s.

Unilateralidade 40, 75, 111, 115, 118, 187

Valor(es)
- conservação do(s) 116
- e desvalor 70, 80, 84
- inversão dos 115
Vau no sonho 160
Verdade(s) 41, 188
- contraditórias 56
- e erro 200
- subjetiva e objetiva 106
"Viagem noturna pelo mar" 160
Vida
- estancamento da 147
- não vivida 161
- racionalidade e irracionalidade da 72
- renovação da 68, 91
- ritmo da 67, 87
- sentido da 68
- transição para a segunda metade da 116, 184

Visão(ões) 108, 121
- da Santíssima Trindade (Niklaus von Flüe) 119
- da serpente (Inácio de Loyola) 119
Vítima 145
"Você não passa de" (Nichts als) 67
Vontade
- como função dirigida 72
- como poder 74

Xamã, feiticeiro, curandeiro 154

Zagreu 113
Zaratustra 36

Conecte-se conosco:

f facebook.com/editoravozes

◉ @editoravozes

𝕏 @editora_vozes

▶ youtube.com/editoravozes

◯ +55 24 2233-9033

www.vozes.com.br

Conheça nossas lojas:
www.livrariavozes.com.br

Belo Horizonte – Brasília – Campinas – Cuiabá – Curitiba
Fortaleza – Juiz de Fora – Petrópolis – Recife – São Paulo

  Vozes de Bolso

EDITORA VOZES LTDA.
Rua Frei Luís, 100 – Centro – Cep 25689-900 – Petrópolis, RJ
Tel.: (24) 2233-9000 – E-mail: vendas@vozes.com.br